**LE MASQUE**
Collection de romans d'aventures
créée et dirigée par
ALBERT PIGASSE

# L'INSPECTEUR WEXFORD

## NOTE DE L'ÉDITEUR

# RUTH RENDELL

# L'INSPECTEUR WEXFORD

## (MEANS OF EVIL AND OTHER STORIES)

TRADUIT DE L'ANGLAIS PAR GÉRARD DE CHERGÉ

*Recueil de Nouvelles*

PARIS
LIBRAIRIE DES CHAMPS-ÉLYSÉES
10, RUE DE MARIGNAN, 10

# L'AFFAIRE DES COPRINS CHEVELUS

– Pratelles, bolets, cornes d'abondance, morilles, lactaires délicieux... Qu'est-ce que cela évoque pour vous? interrogea Burden.

L'inspecteur-chef Wexford haussa les épaules.

– On se croirait à un jeu télévisé. Je vous répondrai à tout hasard que ces noms désignent des crustacés. Ou des anémones de mer. Exact?

– Ce sont des champignons comestibles, dit Burden.

– Ah? Et quel rapport cela a-t-il avec le fait que Mrs. Hannah Kingman se soit jetée – ou ait été poussée – de son balcon?

Les deux hommes se trouvaient dans le bureau de Wexford au poste de police de Kingsmarkham, dans le Comté du Sussex. On était en novembre mais Wexford venait juste de rentrer de vacances. Et pendant qu'il profitait en Cornouaille d'un soleil quasi estival, Hannah Kingman s'était suicidée. C'était du moins ce que Burden avait cru au début; maintenant, il ne savait plus trop qu'en penser. Il s'était donc empressé de raconter toute l'histoire à Wexford dès que celui-ci était arrivé ce lundi matin.

Proche de la soixantaine, l'inspecteur-chef était un homme grand, lourdement bâti et plutôt laid. Il avait été à une certaine époque affligé d'obésité mais il avait considérablement maigri depuis lors pour raisons de santé. Burden, son cadet de vingt ans, avait la sveltesse d'un homme qui a toujours été mince; il avait un visage ascétique, séduisant dans le genre glacial. Wexford, quoique marié à une femme attentive et toute dévouée, donnait toujours l'impression de s'habiller à l'Armée du Salut, alors que son subordonné, veuf, était d'une élégance raffinée et sans faille. A les voir, on aurait dit un vagabond et un Beau Brummel; mais le dandy s'appuyait sur le vagabond, se fiait à sa clairvoyance et à son intuition. Au fond de lui-même, il l'adorait.

Dans cette affaire, Burden s'était senti complètement perdu sans son chef. Au début, tout avait donné à penser qu'Hannah Kingman s'était suicidée : c'était une femme dépressive, mal à l'aise dans sa peau; son second mariage, quoique récent, n'avait pas été heureux et sa précédente expérience s'était soldée par un échec. Malgré l'absence de message d'adieu, Burden aurait conclu sans hésitation au suicide si le frère de la victime n'était venu lui parler des champignons.

– Au fond, dit-il, ce qu'il nous faut prouver, ce n'est pas tant qu'il y a eu un meurtre mais une *tentative* de meurtre. Axel Kingman aurait pu pousser Hannah du balcon – il n'a pas d'alibi – mais je n'avais aucune raison de le soupçonner jusqu'au moment où on m'a parlé d'une tentative de meurtre contre sa femme, deux semaines auparavant.

– Et c'est ici qu'interviennent les champignons?

Burden hocha la tête d'un air découragé.

– Il semble qu'on lui ait administré une substance toxique dans un plat de champignons. Mais je ne vois pas comment on s'y serait pris, puisque

6

trois autres personnes – dont le mari – en ont goûté sans être incommodés... Mais je ferais peut-être mieux de vous raconter toute l'histoire depuis le début.

– En effet, dit Wexford.

– Voici les faits, commença Burden du ton pénétré d'un avocat général. Axel Kingman a trente-cinq ans et s'occupe d'une boutique de diététique située dans High Street : *La Fête du Maïs*. Vous connaissez? – Wexford inclina la tête. Burden poursuivit : – Il était précédemment professeur à Myringham, et, avant de venir s'installer ici, il a vécu pendant sept ans avec une certaine Corinne Last. Puis il l'a quittée, a démissionné de son école, a investi toutes ses économies dans sa boutique et a épousé Mrs. Hannah Nicholson.

– Je suppose que c'est un obsédé de l'alimentation naturelle? dit Wexford.

Burden plissa le nez d'un air dédaigneux.

– Pur snobisme, décréta-t-il. D'ailleurs, ces gens-là ont toujours l'air d'avoir du jus de navet dans les veines, vous n'avez pas remarqué? Alors que ceux qui se nourrissent normalement de beefsteak et de pudding sont florissants et en pleine forme... Bref, les Kingman ont donc ouvert cette boutique et ont emménagé au quatrième étage de la grande tour que nos génies de l'immobilier se sont amusés à construire au-dessus. Au bout d'un moment, Corinne Last a fini par accepter la situation – c'est elle-même et Kingman qui le disent – et ils sont tous restés bons amis.

– Parlez-moi d'eux, dit Wexford. Laissez de côté les faits et décrivez-moi les protagonistes.

Burden éprouvait toujours des difficultés à brosser des portraits psychologiques. Il avait tendance à décrire les gens comme « parfaitement ordinaires » ou « sans caractéristiques particulières » – attitude négative qui exaspérait Wexford. Il tenta néanmoins de faire un effort.

– Apparemment, Kingman est un type sans grande personnalité. Si je n'avais des raisons de penser qu'il a tué sa femme de sang-froid, je dirais volontiers qu'il est inoffensif. C'est un abstinent irréductible. Son père est mort d'éthylisme et notre homme est un antialcoolique fanatique.

« La victime, elle, avait vingt-neuf ans. Son premier mari l'avait quittée après six mois de mariage pour s'enfuir avec une de ses amies. Hannah était alors retournée habiter chez ses parents et travaillait à mi-temps comme serveuse à l'école où enseignait Kingman. C'est là qu'ils se sont connus.

– Et l'autre femme ? s'enquit Wexford.

Burden eut une moue réprobatrice. Les relations sexuelles en dehors du mariage, quoique passées dans les mœurs, lui déplaisaient toujours autant. Le fait qu'il rencontrât presque quotidiennement ce genre de situation dans l'exercice de son métier n'avait en rien modifié son opinion. Comme le faisait ironiquement remarquer Wexford, c'était à croire que pour Burden tous les maux du monde – notamment les crimes – provenaient de que les hommes et les femmes couchaient ensemble en dehors des liens du mariage.

– Dieu seul sait pourquoi il ne l'a pas épousée, déclara Burden. Personnellement, je regrette l'époque où les directeurs d'école exigeaient de leurs professeurs une moralité sans faille.

– Laissons votre opinion de côté pour le moment, Mike, dit Wexford. Hannah Kingman n'est certainement pas morte du fait que son mari n'était pas puceau quand il l'a épousée.

Burden rougit.

8

– Pour en revenir à Corinne Last, reprit-il, elle est très jolie dans le genre « feu qui couve sous la cendre ». Son père lui a laissé à sa mort un peu d'argent et la maison qu'elle habitait avec Kingman – et où elle vit toujours. Elle fait partie de ces femmes qui semblent réussir tout ce qu'elles entreprennent. Elle peint et vend ses toiles, elle se confectionne ses vêtements, elle est plus ou moins la star de la troupe de théâtre locale et elle joue du violon dans un trio à cordes. Elle écrit également des articles pour des revues écologiques et elle a publié un livre de cuisine.

– Ce sont probablement ces multiples activités qui ont conduit Kingman à rompre avec elle, dit Wexford. Cela expliquerait qu'il ait ensuite épousé une petite serveuse de réfectoire. Il n'avait plus à craindre la concurrence.

– Possible, en effet. D'ailleurs, une autre personne m'a déjà soumis cette théorie.

– Qui? interrogea Wexford. Qui vous a fourni tous ces renseignements, Mike?

– Un coléreux jeune homme, le quatrième membre du quatuor, qui se trouve être le frère d'Hannah. Il s'appelle John Hood et m'est avis qu'il a encore beaucoup de choses à raconter. Mais il faut maintenant que j'abandonne les personnages pour en revenir aux faits.

« Personne n'a vu Hannah tomber du balcon. Cela s'est passé jeudi dernier à quatre heures de l'après-midi. Kingman déclare qu'il était à ce moment-là dans son arrière-boutique en train de faire ses comptes et de coller des étiquettes sur diverses marchandises.

« Hannah s'est écrasée sur le macadam d'une aire de stationnement, à l'arrière de l'immeuble, et un voisin a trouvé son corps deux heures plus tard entre deux voitures. En arrivant sur les lieux, j'ai aussitôt interrogé Kingman, qui paraissait atterré. Quand je lui ai demandé si, à sa connaissance, sa femme avait un motif de se tuer, il m'a répondu qu'elle n'avait jamais menacé de le faire mais qu'elle avait été très déprimée ces derniers temps et qu'ils s'étaient souvent disputés, notamment pour des questions d'argent. Son médecin – le vieux Dr. Castle – l'avait mise sous tranquillisants, ce que Kingman désapprouvait. Le toubib m'a expliqué que Mrs. Kingman se considérait comme un poids mort pour son mari; il n'était pas surpris qu'elle se fût tuée et je dois dire que sur le moment, je ne l'ai pas été non plus. Là-dessus, John Hood est venu me voir pour m'annoncer que Kingman avait tenté une première fois d'assassiner sa femme...

– Il vous l'a annoncé tout de go, comme ça?

– Absolument. De toute évidence, il déteste Kingman autant qu'il adorait sa sœur. Il semble également avoir une grande admiration pour Corinne Last. Il m'a donc raconté qu'un certain samedi soir de la fin octobre, ils avaient dîné tous les quatre chez les Kingman. Le menu se composait de recettes végétariennes préparées par Kingman – il faisait toujours la cuisine lui-même – et, en particulier d'un plat de champignons. Ils en mangèrent tous, sans conséquences fâcheuses – sauf pour Hannah, qui se leva de table et vomit pendant des heures. A en croire Hood, elle fut très sérieusement malade.

Wexford haussa les sourcils.

– Expliquez, voulez-vous?

Burden posa les coudes sur les bras de son fauteuil et joignit les mains.

– Quelques jours avant ce dîner, Kingman et Hood se rencontrèrent au club de tennis dont ils sont tous les deux membres. Kingman annonça à son beau-frère que Corinne Last avait promis de lui apporter des champignons de son jardin, des coprins chevelus. Chaque année à l'automne, une quantité de ces coprins poussent sous l'un des arbres du jardin; je les ai vus moi-même, mais j'y reviendrai dans un instant.

« Kingman est un fervent adepte de la cuisine à base de produits naturels et il ne jure que par ces champignons des bois, bien plus savoureux selon lui que les champignons en conserve. Pour ma part, rien ne vaut les légumes vendus au marché dans un sac en plastique, mais tous les goûts sont dans la nature... A ce propos, le livre de Corinne Last s'intitule *La Cuisine pour Rien* et toutes les recettes sont à base de plantes que l'on peut trouver sur le bord de la route ou sur les haies.

– Ces choses chevelus, là... en avait-il déjà cuisiné avant?

– *Coprins* chevelus, rectifia Burden avec un sourire ironique. Ou *coprinus comatus*. Oui, il en préparait chaque année un plat qu'il dégustait ensuite avec Corinne Last. Et il déclara à Hood qu'il allait encore les préparer cette fois; il semblait très reconnaissant à Corinne de se montrer si... magnanime.

– J'imagine qu'il a dû lui en coûter, en effet. – La main sur le cœur, les yeux au ciel, Wexford déclama d'une voix chevrotante : – Supporteras-tu de me voir manger nos coprins chevelus avec une autre?

– Toujours est-il, reprit Burden avec sérieux, que Hood fut convié à venir goûter ce régal le samedi suivant, en compagnie de Corinne Last. C'est d'ailleurs, très probablement, ce dernier point qui le poussa à accepter l'invitation. Bref, le jour J arriva et Hood passa voir sa sœur pendant le déjeuner.

Elle lui montra la marmite contenant le plat préparé par Kingman, elle lui dit *qu'elle l'avait goûté* et qu'il était délicieux. Elle lui montra également une demi-douzaine de coprins chevelus dont Kingman ne s'était pas servi et qu'ils comptaient prendre à leur petit déjeuner.

Burden ouvrit un tiroir du bureau et en sortit un sac en plastique, dont il répandit le contenu sur la table. Quatre champignons blanchâtres apparurent, ovales avec un pied trapu.

– Je vous présente *coprinus comatus*, dit-il. Je les ai ramassés ce matin dans le jardin de Corinne Last. Quand ils grossissent, le chapeau ovale s'ouvre et on voit au-dessous des sortes de lamelles noires. Théoriquement, on les mange quand ils en sont au même stade que ceux-ci.

– Je suppose que vous vous êtes procuré un livre sur les champignons?

– Voilà. – Cette fois, Burden sortit du tiroir un gros volume intitulé *Champignons anglais, comestibles et vénéneux*. – Et voici le chapitre consacré aux coprins chevelus.

Il ouvrit le livre à une page où l'on voyait une planche en couleurs représentant des champignons identiques à ceux qui étaient sur le bureau. Il le passa à l'inspecteur-chef.

– Coprinus comatus, lut Wexford à haute voix. *Espèce commune, atteignant à pleine maturité une vingtaine de centimètres. A la fin de l'été et en automne, on trouve couramment ce champignon dans les champs, sur les haies et même dans les jardins. On doit le manger avant que le chapeau ne s'ouvre et ne dégorge son liquide noir d'encre, mais il est dans tous les cas parfaitement inoffensif.* – Il posa le livre ouvert sur le bureau. – Continuez, Mike.

– Hood passa prendre Corinne chez elle et ils

arrivèrent chez les Kingman à huit heures. Vers huit heures et quart, ils étaient tous les quatre à table et s'attaquaient à l'entrée, des avocats vinaigrette. Le plat de champignons était prévu ensuite, avec des côtelettes de mouton, de la salade et une tarte aux pommes. Naturellement, compte tenu des idées de Kingman, il n'y avait ni vin ni alcool sur la table. Ils burent du jus de raisin en provenance de la boutique.

« La cuisine donne directement sur la salle à manger. Kingman apporta le plat dans une grande soupière et le servit lui-même, en commençant, bien entendu, par Corinne. Les coprins chevelus étaient coupés en deux dans le sens de la longueur et les morceaux flottaient dans une sauce épaisse, avec des rondelles de carottes, des oignons et divers autres légumes. Hood n'était pas très chaud à l'idée de manger des champignons des bois mais Corinne le rassura, et quand il vit que les autres mangeaient avec appétit, il s'y mit à son tour. Il alla même jusqu'à se resservir.

« Kingman enleva ensuite les assiettes et la soupière *et les rinça immédiatement sous le robinet.* Hood et Corinne m'ont signalé tous les deux ce détail; Kingman prétend que c'est une habitude chez lui, qu'il fait toujours cela pour gagner du temps.

– Son ancienne maîtresse devrait être en mesure de confirmer la chose, après le temps qu'ils ont vécu ensemble, intervint Wexford.

– Il faudra lui poser la question. Ce qui est sûr, c'est qu'il ne restait aucune trace du plat de champignons. Kingman apporta ensuite les côtelettes et la salade; mais avant même qu'il ait commencé à servir, Hannah bondit de sa chaise, en se couvrant la bouche avec sa serviette, et se précipita dans la salle de bains.

« Au bout d'un moment, Corinne la rejoignit, ainsi que Kingman. Hood, lui, resta dans la salle à manger, mais il entendit de violents vomissements. Personne ne toucha plus au dîner. Lorsque Kingman revint, il déclara qu'Hannah avait dû attraper un « microbe » et qu'il l'avait mise au lit. Hood alla voir sa sœur, qui était avec Corinne. Hannah avait le visage très pâle, en sueur, et elle souffrait visiblement beaucoup car elle était pliée en deux et n'arrêtait pas de gémir. Des nausées l'obligèrent à retourner dans la salle de bains et, cette fois, Kingman dut la ramener dans ses bras jusqu'à son lit.

« Hood suggéra d'appeler le Dr Castle mais Kingman s'y opposa formellement. Il déteste les médecins et fait partie de ces gens qui se soignent avec des remèdes à base d'herbes. Il déclara qu'Hannah avait déjà trop vu de médecins et que si ce qu'elle avait n'était pas un simple trouble gastrique, ce devait être la conséquence des « dangereux » tranquillisants qu'elle prenait.

« Hood, lui, trouvait sa sœur sérieusement malade et il commençait à s'énerver. Il tenta en vain de convaincre Kingman de faire venir un médecin ou d'emmener Hannah à l'hôpital. Kingman ne voulut rien entendre et Corinne prit son parti. Hood est de ces gens coléreux mais faibles, qui font beaucoup de bruit mais sont incapables de passer aux actes. Il aurait pu appeler un médecin lui-même, mais il ne le fit pas. Encore l'influence de Corinne, sans doute... Il se contenta de dire à Kingman qu'il était cinglé de cuisiner des champignons dont tout le monde savait qu'ils n'étaient pas bons, à quoi Kingman lui rétorqua que si les coprins étaient réellement dangereux, ils auraient tous été malades. Bref, vers minuit, Hannah cessa de vomir et finit par s'endormir. Hood reconduisit alors Corinne chez elle, puis il revint chez les Kingman, où il passa le reste de la nuit sur le divan du salon.

« Le lendemain matin, Hannah était encore un peu faible mais complètement rétablie, ce qui contredisait l'hypothèse du trouble gastrique avancée par Kingman. Les relations entre les deux beaux-frères ne s'améliorèrent pas pour autant : Kingman déclara à Hood que ses insinuations ne lui avaient pas plu et qu'à l'avenir, quand il voudrait voir sa sœur, il aurait intérêt à venir quand lui, Kingman, ne serait pas là. Là-dessus, Hood repartit chez lui. Il n'a pas revu Kingman depuis ce jour.

« Le lendemain de la mort de sa sœur, il a fait irruption dans mon bureau pour me raconter tout cela, et il a accusé Kingman d'avoir tenté d'empoisonner Hannah. Il était presque hystérique, mais je ne me suis pas senti le droit de repousser ses allégations sans les prendre en considération. Il y avait trop de circonstances troublantes : le mariage malheureux, le fait que Kingman ait rincé tout de suite les assiettes, qu'il ait refusé d'appeler un médecin... Ai-je eu raison?

Burden s'interrompit, attendant une marque d'approbation. Celle-ci se manifesta sous la forme d'un hochement de tête pas très convaincu.

– Kingman aurait-il pu pousser sa femme, Mike? demanda Wexford au bout d'un moment.

– Hannah était petite et fragile. Physiquement, c'était possible. D'autre part, cette façade de l'immeuble ne donne que sur le parking et sur les champs : il ne risquait donc pas d'être vu. Il aurait pu monter par l'escalier au lieu de prendre l'ascenseur et redescendre par le même moyen. Au-dessous des Kingman habite une infirme dont le mari était au travail. Et la locataire du dessous, une jeune femme, était chez elle mais elle n'a rien vu ni entendu. L'infirme, elle , croit avoir entendu un cri dans le courant de l'après-midi mais elle ne s'en est pas inquiétée. Et puis, à supposer que ce soit vrai, qu'est-ce que cela prouve? Une personne qui se jette volontairement dans le vide a autant de raison de crier que si on la pousse.

— Bien, dit Wexford. Revenons-en maintenant à ce fameux repas. A première vue, on pourrait croire que Kingman avait l'intention de tuer sa femme mais qu'il a échoué parce que la dose de poison était insuffisante. Elle a été très malade mais elle n'est pas morte. Il comptait faire passer cela pour un empoisonnement par les champignons, et il avait invité Hood et Corinne pour être témoins de sa bonne foi. Mais comment, selon vous, s'y est-il pris pour lui administrer le poison? Tous les quatre ont goûté de ce plat mais seule Hannah a été indisposée...

— Je n'ai aucune hypothèse, répondit franche-ment Burden, mais d'autres en ont. Hood, par exemple, pense que Kingman a glissé le poison dans l'assiette d'Hannah ou dans la salière.

— La salière?

— Il s'est rappelé qu'Hannah était la seule à avoir salé ses champignons. Mais cela, Kingman ne pou-vait pas le prévoir; nous pouvons donc écarter cette hypothèse. De même, il est établi que les avocats étaient parfaitement inoffensifs. Kingman les a ouverts *à table* et la vinaigrette était servie dans une saucière. S'il y avait du poison quelque part, ce ne pouvait être que dans le plat de champignons.

« Corinne Last se refuse à envisager la culpabilité de Kingman. Cependant, quand je l'ai interrogée un peu plus à fond, elle a reconnu qu'elle n'était pas à table au moment où il a servi le plat : elle était allée chercher son sac dans le hall. Elle n'a donc pas vu Kingman servir Hannah.

Burden tendit le bras pour prendre le livre que Wexford avait laissé ouvert à la page des coprins chevelus. Il feuilleta rapidement la seconde partie de l'ouvrage, celle qui était consacrée aux champignons vénéneux, et indiqua à l'inspecteur-chef un autre chapitre.

– Ah! oui, dit Wexford. Notre vieille amie l'amanite tue-mouches : un joli petit champignon à chapeau rouge avec des taches blanches. Les illustrateurs de livres pour enfants l'apprécient beaucoup; généralement, ils dessinent une grenouille dessus et un gnome dessous. Je lis ici que ce champignon provoque des nausées, des vomissements, des crampes d'estomac, le coma et la mort. Il y a une grande variété d'amanites : printanière, panthère, vireuse, ciguë verte... toutes plus ou moins mortelles. Ah-ah! Et voici la plus dangereuse de toutes, l'*amanita phalloides*. Pas sympathique du tout. De très petites quantités suffisent souvent à entraîner la mort, après d'horribles souffrances... Mais où cela nous mène-t-il?

– D'après Corinne Last, l'amanite phalloide est très courante par ici. Ce qu'elle ne dit pas, mais que j'en déduis, c'est que Kingman aurait pu s'en procurer facilement. Supposez qu'il en ait fait cuire un specimen séparément et qu'il l'ait ajouté à son plat juste avant de l'apporter? Au moment de servir Hannah, il le lui met dans son assiette; la sauce étant épaisse, personne n'aurait rien remarqué.

Wexford eut une moue sceptique.

– C'est une théorie qui en vaut une autre... Si jamais cette amanite avait contaminé tout le plat, les autres auraient été malades, eux aussi, et cela aurait encore davantage eu les apparences d'un

accident – ce qui aurait parfaitement arrangé Kingman. Mais... il y a un « mais », Mike. Si son but
était de tuer Hannah – quitte à empoisonner en
même temps Corinne et Hood –, pourquoi a-t-il
lavé les assiettes? Il aurait dû garder un peu de son
brouet pour l'analyse : celle-ci aurait montré la
présence de champignons vénéneux au milieu des
champignons comestibles, et on aurait conclu à une
simple négligence.

« Mais assez discuté. Allons maintenant bavarder avec les intéressés.

*La Fête du Maïs* était fermée. Wexford et Burden
longèrent une allée sur le côté de l'immeuble,
dépassèrent l'entrée principale et se dirigèrent vers
une porte marquée « Sortie de Secours », à l'arrière. Ils se retrouvèrent dans un petit vestibule
dallé et entreprirent de monter l'étroit escalier.

Il n'y avait qu'un appartement par palier. Au
quatrième étage, une carte de visite au nom de A. et
H. Kingman était fixée sur la porte. Wexford
appuya sur la sonnette.

L'homme qui les fit entrer était plutôt petit,
d'aspect inoffensif, et il avait l'air triste. Il montra à
Wexford le balcon d'où était tombée sa femme; on
y accédait par une porte en verre dépoli, dans la
cuisine. C'était surtout un endroit pour mettre du
linge à sécher ou pour entretenir des plantes : il y
avait là des herbes en pots et, dans un grand bac, un
plant de tomates mordu par le gel. Le muret
entourant le balcon faisait à peu près un mètre de
hauteur.

– Avez-vous été surpris du suicide de votre
femme, Mr. Kingman? s'enquit Wexford.

– Ma femme avait tendance à se sous-estimer.
Quand nous nous sommes mariés, je croyais que

c'était un être simple, comme moi, une personne qui ne demandait pas grand-chose à la vie et qui savait se contenter de ce qu'elle avait. Mais elle n'était pas ainsi. Elle attendait de moi plus de soutien et de réconfort que je ne pouvais lui en apporter. Surtout durant les trois premiers mois de notre mariage. Par la suite, elle a paru se retourner contre moi. Elle était d'humeur très changeante, on ne savait jamais comment la prendre. D'un autre côté, elle dépensait plus d'argent que nous ne pouvions nous le permettre, car ma boutique ne marche pas très bien. J'ignore où allait tout cet argent et c'était un motif de dispute entre nous. Puis elle est devenue dépressive; elle n'arrêtait pas de dire qu'elle ne m'était d'aucune utilité, qu'elle aurait préféré être morte...

Wexford jugea que c'était là une bien longue explication pour une question qu'on ne lui avait pas posée. Peut-être Kingman se sentait-il un peu responsable de la mort de sa femme et éprouvait-il le besoin d'en parler.

— Comme vous le savez, Mr. Kingman, dit Wexford, nous avons des raisons de croire qu'il s'agit d'un acte de malveillance. Je voudrais vous poser quelques questions à propos du dîner du 29 octobre, préparé par vous, à l'issue duquel votre femme a été malade.

— Je devine qui vous en a parlé.

Wexford ne releva pas cette remarque.

— A quel moment miss Last vous a-t-elle apporté ces... euh... coprins chevelus?

— Dans la soirée du 28. J'ai préparé mon plat le 29 au matin, d'après une recette de miss Last.

— Y avait-il d'autres sortes de champignons dans votre appartement?

— Des champignons en conserve, probablement.

– Avez-vous à un moment quelconque ajouté une substance toxique à votre plat, Mr. Kingman?

– Non, évidemment, répondit Kingman avec lassitude. Mon beau-frère a des préjugés de béotien. Il refuse de comprendre que ce plat – que j'avais déjà préparé des douzaines de fois exactement de la même façon – était aussi inoffensif... qu'un poulet rôti, par exemple. Et même davantage, à mon avis.

– Très bien. Cependant, votre femme a été très indisposée. Pourquoi n'avez-vous pas appelé un médecin?

– Parce que ma femme n'était pas « très indisposée », comme vous dites. Elle avait la diarrhée et des nausées, c'est tout. Dans le cas d'un empoisonnement par les champignons, les symptômes sont beaucoup plus alarmants : troubles de la vision, convulsions tétaniques et, généralement, perte de conscience. Il n'y avait rien de tel chez Hannah.

– Il est néanmoins fâcheux que vous ayez rincé ces assiettes. Si vous ne l'aviez pas fait, et si vous aviez appelé un médecin, les restes de ce plat auraient été analysés et nous saurions tous à quoi nous en tenir.

– Ces champignons étaient inoffensifs, répéta Kingman avec entêtement.

Une fois dans la voiture, Wexford dit à Burden :

– Je suis enclin à le croire, Mike. A moins que Hood ou Corinne Last n'aient quelque chose de vraiment nouveau à nous apprendre, je crois que nous pourrons classer l'affaire.

Le cottage que Corinne avait partagé avec Axel Kingman se trouvait à la sortie du village de Myfleet, sur un tronçon de route isolé. C'était un cottage en pierre, au toit d'ardoises, entouré d'un joli petit jardin bien entretenu. Une Ford Escort verte était garée dans l'allée. Sous un grand pommier qui perdait ses feuilles jaunies, Wexford aperçut trois grappes de coprins chevelus, aisément reconnaissables.

La propriétaire, une grande femme élancée, avait un beau visage aux pommettes hautes et à la mâchoire carrée, et une masse de cheveux bruns. Vêtue d'un vieux chandail et d'un jean, elle parlait d'une voix lente et mesurée. Il semblait impossible de la désarçonner ou de la faire sortir de ses gonds.

– Vous êtes l'auteur d'un livre de cuisine, je crois? dit Wexford.

Sans répondre, elle prit sur une étagère un livre qu'elle lui tendit : *La Cuisine pour Rien*, par Corinne Last. Il parcourut la table des matières et trouva la recette qu'il cherchait. A la page correspondante, on voyait une photo en couleurs représentant six personnes en train de manger une sorte de potage brunâtre. La recette comprenait des carottes, des oignons, des herbes, de la crème et un certain nombre d'autres ingrédients inoffensifs. Les dernières lignes disaient : *Les coprins chevelus cuits à la casserole sont meilleurs servis chauds avec du pain de froment. Pour les boissons d'accompagnement, voir page 171.* Wexford jeta un coup d'œil à la page 171, puis tendit le livre à Burden.

– C'est bien ce plat que Mr. Kingman a préparé ce soir-là?

– Oui. – Elle avait une façon de clore à demi ses lourdes paupières en parlant qui lui donnait un air un peu sournois. – J'ai cueilli moi-même ces coprins dans le jardin, je ne vois pas comment ils auraient pu rendre Hannah malade. Et pourtant... Elle allait très bien quand nous sommes arrivés. Elle n'avait pas du tout attrapé un microbe, c'est absurde.

Burden posa le livre sur la table.

– Mais Mr. Kingman vous a tous servis de la même soupière...

– Je n'ai pas vraiment vu Axel servir Hannah. Je n'étais pas dans la salle à manger à ce moment-là.

Ses paupières battirent et se fermèrent presque complètement.

– Etait-ce une habitude chez Mr. Kingman de rincer les assiettes sitôt après avoir desservi?

– Je ne saurais vous répondre, dit-elle avec un haussement d'épaules. Tout ce que je sais, c'est qu'Hannah a été très malade juste après avoir goûté de ce plat. Axel n'aime pas les médecins, c'est vrai, et il craignait peut-être d'appeler le Dr. Castle dans ces circonstances. Hannah avait des points noirs devant les yeux et commençait à voir double; j'étais très inquiète pour elle.

– Et pourtant, miss Last, vous n'avez pas jugé bon d'appeler vous-même un médecin? Ni même de soutenir Mr. Hood?

– Contrairement à John Hood, je savais que les coprins n'étaient pas en cause. – Elle prononça le nom de Hood avec une nuance de mépris. – Et puis, j'étais un peu effrayée. Je me disais que ce serait affreux si Axel se trouvait mêlé à une enquête, avec tout ce que cela suppose...

– Il y a maintenant une enquête, miss Last.

– D'accord, mais là c'est différent. Hannah est morte. Il ne s'agit plus de vagues soupçons ou de simples hypothèses.

Elle les raccompagna jusqu'au seuil et ferma la porte d'entrée sans attendre qu'ils aient franchi la barrière du jardin. Plus loin, sur le bord de la route et sous les haies, Wexford vit une quantité de coprins chevelus, ainsi que d'autres variétés de champignons qu'il était incapable d'identifier.

– Cette femme, dit-il, est passée maîtresse dans

l'art de l'insinuation. Elle a enfoncé Kingman à chaque mot sans prononcer à aucun moment la moindre accusation ouverte. – Il secoua la tête. – Je suppose que le beau-frère de Kingman sera à son travail à cette heure-ci?

– C'est probable, dit Burden.

Mais John Hood n'était pas à son travail. Il les attendait au poste de police, fiévreux, bouillant d'impatience, menaçant, « si on ne faisait pas immédiatement quelque chose », de porter l'affaire devant le commissaire ou même au Ministère de l'Intérieur.

– Rassurez-vous, dit tranquillement Wexford, on fait quelque chose. Je suis content que vous soyez venu, Mr. Hood. Mais tâchez de garder votre calme, voulez-vous?

Wexford se rendit rapidement compte que John Hood était loin d'avoir l'intelligence de Kingman ou de Corinne Last. C'était un homme d'environ vingt-sept ans, trapu, aux yeux bleus pleins d'amertume et au visage bouffi. Tout à fait le genre d'homme, se dit Wexford, à lancer de graves accusations sans l'ombre d'une preuve.

Il se mit à parler avec volubilité, répétant ce qu'il avait déjà dit à Burden, à savoir que son beau-frère avait délibérément tenté de tuer sa sœur ce soir-là. Hannah avait eu une chance inouïe de s'en sortir. Kingman était un homme sans scrupules, qui n'aurait reculé devant rien pour se débarrasser d'elle. Il ne se pardonnerait jamais, lui, Hood, de n'avoir pas pris sur lui d'appeler un médecin.

– Je comprends, Mr. Hood. Mais quels étaient exactement les symptômes de votre sœur?

– Nausées, crampes d'estomac, violentes douleurs...

– Elle ne s'est plainte de rien d'autre?

– N'était-ce pas suffisant? Voilà ce qui arrive quand on vous donne à manger des trucs empoisonnés!

Wexford se contenta de hausser les sourcils. Puis, changeant brusquement de sujet, il s'enquit :

– Qu'est-ce qui ne marchait pas dans le ménage des Kingman?

Avant même que Hood ait répondu, Wexford sentit qu'il allait lui cacher quelque chose. Une lueur de méfiance apparut dans ses yeux et disparut aussitôt.

– Axel n'était pas l'homme qu'il lui fallait, commença-t-il avec réticence. Elle avait des problèmes, elle avait besoin de compréhension...

Il s'interrompit.

– Quelle sorte de problème, Mr. Hood?

– Cela n'a aucun rapport avec l'affaire, bredouilla Hood.

– Laissez-moi en juger. C'est vous qui avez déclenché cette affaire en formulant de graves accusations; n'allez pas maintenant entraver la marche de l'enquête. – Wexford eut une soudaine inspiration : – Ces problèmes avaient-ils quelque chose à voir avec l'argent qu'elle dépensait?

Hood demeura silencieux, l'air maussade. Wexford passa mentalement en revue tout ce qu'il avait appris jusque-là : le fanatisme d'Axel Kingman sur une certaine question, Hannah et son besoin désespéré d'un soutien – de nature non précisée – aux premiers temps de son mariage; puis, plus tard, ses sautes d'humeur, l'argent qui filait on ne savait où...

Wexford releva les yeux et lança, à l'aveuglette :

– Votre sœur était-elle alcoolique, Mr. Hood?

Cette question directe n'eut pas l'heur de plaire à Hood; il devint écarlate et prit un air outragé. Contraint de répondre malgré tout, il tourna autour du pot : oui, en effet, Hannah buvait bien un peu; cela avait plus ou moins commencé après la rupture de son premier mariage et elle s'était donné un mal fou pour le cacher à son mari.

– Elle était donc effectivement alcoolique, dit Wexford.

– Si on veut, oui.

– Votre beau-frère le savait-il?

– Seigneur, non! Il l'aurait tuée! – Réalisant ce qu'il venait de dire, il ajouta vivement : – Le voilà peut-être, le motif! Il aura découvert son secret.

– Je ne le pense pas, Mr. Hood. J'imagine que, les premiers mois de son mariage, votre sœur a fait des efforts pour cesser de boire. Elle aurait eu alors besoin d'un soutien, mais elle n'a pas voulu en donner la raison à son mari. Ses efforts ont donc échoué et, peu à peu, parce qu'elle ne pouvait s'en passer, elle s'est remise à boire.

– Elle n'était pas aussi intoxiquée qu'avant, plaida Hood avec une fougue pathétique. Elle buvait seulement le soir. D'après ce qu'elle me disait, elle ne prenait jamais de verre avant six heures et elle continuait ensuite à boire – en cachette, pour qu'Axel ne s'aperçoive de rien.

– Votre sœur avait-elle bu ce soir-là?

– Je le suppose. Autrement, elle n'aurait pas été capable de supporter la présence d'invités – ne fût-ce que Corinne et moi.

– A part vous, qui savait que votre sœur buvait?

– Ma mère. Nous avions décidé de garder cela strictement pour nous, afin qu'Axel ne l'apprenne pas. – Il hésita avant d'ajouter, d'un air de défi : – Mais j'en ai quand même parlé à Corinne. C'est une fille merveilleuse, et elle est très intelligente. Cette histoire me causait du souci et je ne savais que faire. Elle m'a bien promis de n'en rien dire à Axel.

– Je vois.

Wexford avait ses raisons de croire qu'elle l'avait fait malgré tout. Plongé dans ses pensées, il se leva et alla se poster devant la fenêtre, à l'autre bout de la pièce. Les questions de Burden et les réponses de Hood lui parvenaient comme à travers un brouillard. Puis il entendit Burden dire, d'une voix plus forte :

– Ce sera tout pour le moment, Mr. Hood, à moins que l'inspecteur-chef ait d'autres questions à vous poser.

– Non, non, marmonna distraitement Wexford.

Après le départ de Hood, il reprit :

– Il est temps de déjeuner, il est deux heures passées. Personnellement, j'éviterai les plats contenant des champignons, même des *psalliota campestris.*

Après que Burden eut vérifié dans le livre qu'il s'agissait tout simplement de l'agaric des champs ou champignon blanc – l'espèce la plus commune – ils allèrent déjeuner puis firent la tournée des marchands de vin de Kingsmarkham encore ouverts à cette heure. La seconde boutique fut la bonne : le gérant des *Vignes du Seigneur* leur apprit qu'une femme répondant au signalement d'Hannah Kingman avait été une de ses clientes régulières et que le mercredi précédent, la veille de sa mort, elle était venue acheter une bouteille de cognac.

– Peut-être y avait-il une bouteille vide dans la poubelle des Kingman, dit Burden avec une grimace. Nous aurions dû regarder, mais nous n'avions aucune raison de le faire. Et puis elle n'aurait quand même pas bu toute une bouteille de cognac le mercredi !

– Pourquoi attachez-vous une telle importance à

cette histoire d'alcoolisme, Mike? Vous ne pensez tout de même pas que ce puisse être le mobile du meurtre?

– Pas un mobile, mais un moyen, répondit Burden. Maintenant, je sais comment Kingman projetait de tuer sa femme la première fois. – Il grimaça un sourire. – Pour une fois, j'ai trouvé la solution avant vous! Voilà qui me change agréablement. Si vous n'y voyez pas d'inconvénient, je vais suivre votre exemple et garder pour moi la clef du mystère pour le moment. Avec votre permission, nous allons retourner chercher les coprins au poste de police, puis nous nous livrerons à une petite expérience.

Michael Burden habitait un joli pavillon à Tabard Road. Il y avait vécu avec sa femme jusqu'à la mort prématurée de cette dernière et il continuait à y vivre avec sa fille de seize ans; son fils était à l'université. Ce soir-là, Pat Burden était sortie avec son petit ami, en laissant un mot à son père sur le réfrigérateur. *Papa, j'ai mangé la viande froide qui restait d'hier. Peux-tu t'ouvrir une boîte de conserve? Je reviendrai vers dix heures et demie. Grosses bises, P.*

Burden relut le message plusieurs fois, avec une consternation croissante. Wexford n'avait aucun mal à suivre le cheminement de ses moroses pensées : du fait qu'elle n'avait pas de mère, sa fille se voyait contrainte de se nourrir de restes; elle qui aurait dû être libre et insouciante était obligée de s'occuper de son père, et son insupportable solitude la poussait à quitter le gîte familial jusqu'à l'heure – extrêmement tardive! – de dix heures et demie. Tout cela était ridicule, bien entendu : les enfants de Burden étaient heureux et s'étaient remis de la mort de leur mère, mais comment faire comprendre cela à Burden ? Il traînait son veuvage comme un boulet. Il froissa le billet et regarda autour de lui avec une sorte de désespoir. Wexford connaissait bien cette expression désolée : il la voyait sur le visage de Burden chaque fois qu'il l'accompagnait chez lui.

Cette attitude suscitait l'exaspération aussi bien que la pitié. Wexford aurait voulu dire à Burden – il avait déjà essayé une ou deux fois – de cesser de considérer John et Pat comme des paranoïaques attardés, mais cette fois il se contenta de dire d'un ton léger :

– J'ai lu l'autre jour qu'on pouvait très bien se passer de repas chauds pendant toute sa vie. Il paraît même que plus c'est froid et cru, mieux c'est.

– Ce devait être un article écrit par Axel Kingman, dit Burden en riant (ce qui était le but recherché par Wexford). En tout cas, je suis content qu'elle n'ait rien préparé pour moi. J'aurais été obligé de le laisser et je n'aurais pas voulu qu'elle prenne cela pour une critique.

Wexford décida d'ignorer celle-là.

– Pendant que vous réfléchissez à votre fameuse expérience, me permettez-vous de téléphoner à ma femme ?

– Faites comme chez vous.

Il était presque six heures. De retour dans la cuisine, Wexford trouva Burden en train d'éplucher des carottes et des oignons. Les quatre spécimens de *coprinus comatus* étaient posés sur la planche à découper et une soupière remplie de sauce chauffait sur la cuisinière.

– Qu'est-ce que vous fabriquez ?

– Je prépare la recette de Corinne Last. Ma théorie est la suivante : le plat est inoffensif pour des non-buveurs mais toxique – à des degrés divers

– pour des personnes ayant pris de l'alcool. Qu'en dites-vous? Tout à l'heure, quand ce sera prêt, j'absorberai une petite quantité d'alcool et puis je mangerai le plat. Maintenant, allez-y, traitez-moi d'idiot si vous voulez!

Wexford haussa les épaules.

– Je suis émerveillé par tant de courage et d'abnégation. Mais attendez un peu : êtes-vous seulement sûr qu'Hannah ait bien bu ce soir-là? Nous savons que Kingman n'avait certainement pas pris d'alcool... Mais les deux autres?

– J'ai posé la question à Hood pendant que vous rêviez devant la fenêtre. Il est passé prendre Corinne Last chez elle à six heures, sur sa demande. Ils ont ramassé quelques pommes pour sa mère, puis elle lui a fait du café. Il lui a proposé de boire un verre dans un pub sur le chemin, mais elle a mis tellement longtemps à se préparer qu'ils n'en ont pas eu le temps.

– D'accord. Dans ce cas, allez-y. Mais ne serait-il pas plus simple d'appeler un expert? Il doit bien y avoir une chaire de champignologie – ou Dieu sait comment ça s'appelle – à l'université du Sud.

– Nous pourrons toujours nous en assurer après avoir fait l'expérience. Je voudrais avoir une certitude *dès maintenant*. Vous vous joignez à moi?

– Certainement pas. Je suis votre invité, mais je ne suis pas fou. Maintenant que j'ai dit à ma femme que je ne rentrerais pas dîner, je vous demanderai simplement de me faire d'inoffensifs œufs sur le plat.

Il suivit Burden dans le living-room.

– Que boirez-vous? demanda l'inspecteur en ouvrant un placard.

– Du vin blanc si vous en avez, sinon du vermouth. Vous savez que je dois éviter les excès.

– Des glaçons? s'enquit Burden en lui servant un vermouth et soda.

– Non, merci. Et vous, qu'allez-vous prendre? Du cognac? C'était apparemment la boisson favorite d'Hannah Kingman.

– Je n'en ai pas, dit Burden. Ce sera donc du whisky. Nous pouvons raisonnablement supposer qu'elle avait pris deux doubles cognacs avant le dîner, n'est-ce pas? Je ne voudrais pas être aussi malade qu'elle; je ne suis pas brave à ce point-là. – Il regarda Wexford avec inquiétude. – Vous ne pensez pas que ce pourrait être plus dangereux pour certaines personnes que pour d'autres, n'est-ce pas?

– C'est bien possible, dit Wexford avec entrain. A votre santé!

Burden sirota un moment son whisky largement étendu d'eau, puis le vida d'un trait.

– Je vais jeter un coup d'œil sur mon plat. Allumez la télévision si vous voulez.

Wexford obéit. Sur l'écran apparut l'image bariolée d'un bois à l'automne, avec un ciel bleu pâle et des feuilles dorées. Puis la caméra exécuta un gros plan sur un groupe d'amanites tue-mouches à taches rouges et blanches. Avec un gloussement, Wexford éteignit le poste à l'instant où Burden passait la tête par la porte.

– Je crois que c'est plus ou moins prêt.

– Prenez d'abord un autre whisky.

– Vous avez raison. – Burden entra dans la pièce et remplit de nouveau son verre. – Voilà, ça devrait aller.

– Et mes œufs?

– Zut! j'ai complètement oublié. Je n'ai rien d'un cuisinier, vous savez. Je ne sais pas comment les femmes s'y prennent pour faire cuire plusieurs choses en même temps en s'arrangeant pour que tout soit prêt au bon moment.

– Oui, c'est un vrai mystère. N'importe, je me contenterai de pain et de fromage, si vous en avez.

Burden termina son whisky et apporta une soupière remplie d'une mixture brunâtre, sur laquelle flottaient quatre coprins chevelus coupés dans le sens de la longueur.

– Quelle était donc cette phrase que disaient les gladiateurs à l'empereur romain avant de livrer combat?

– *Morituri te salutant,* répondit Wexford. Ceux qui vont mourir te saluent.

– Alors voyons... – Burden rassembla les quelques rudiments de latin qui lui restaient. – *Moriturus, te salutat.* Est-ce correct?

– Il me semble. Au détail près que vous ne mourrez pas.

Burden ne répondit pas. Il prit sa cuiller et commença sa dégustation.

– Puis-je reprendre du soda? s'enquit Wexford.

Il est toujours extrêmement pénible d'être un héros incompris. Burden lui lança un regard noir.

– Servez-vous, je suis occupé.

– Quel goût cela a-t-il? demanda Wexford en s'exécutant.

– C'est aussi bon que les champignons en conserve.

Il termina le plat sans broncher et essuya le fond de la soupière avec un bout de pain. Puis il se redressa, l'air un peu guindé.

– Si on regardait la télévision, histoire de passer le temps? proposa Wexford.

Il alluma le poste. Les amanites tue-mouches avaient cédé la place à un chien de chasse qui traversait une prairie sur une musique de Vivaldi.

– Comment vous sentez-vous?

– Très bien, répondit Burden d'un ton sinistre.

– Courage! Cela ne durera peut-être pas.

Mais cela dura. Un quart d'heure plus tard, Burden se sentait toujours très bien.

– J'étais pourtant sûr de mon coup, dit-il avec perplexité. Je me voyais déjà pris de nausées et de crampes d'estomac. J'avais même laissé la voiture dehors pour que vous puissiez plus vite me conduire à l'hôpital. – Wexford se contenta de hausser les sourcils. – Je dois dire que vous ne paraissiez pas très inquiet sur mon sort. Vous n'avez même pas tenté de me dissuader! Vous auriez été bien embarrassé s'il m'était arrivé quelque chose...

– Je savais qu'il ne vous arriverait rien. – Brusquement, en voyant la mine attristée de Burden, Wexford éclata de rire. – Cher vieux Mike, il faut que vous me pardonniez! Mais vous me connaissez : pensez-vous sincèrement que je vous aurais laissé risquer votre vie pour un plat de champignons? Je savais que vous ne couriez aucun risque.

– Puis-je vous demander comment vous le saviez?

– Vous pouvez. Et vous l'auriez su aussi si vous aviez pris la peine de consulter le livre de Corinne Last. Sous la recette pour accommoder les coprins chevelus, il était mentionné : « Pour les boissons, voir page 171 ». C'est ce que j'ai fait. Là, miss Last donnait la recette d'un vin de primevère et d'une liqueur de prunelle, toutes deux à haute teneur en alcool. Aurait-elle recommandé ces boissons avec les champignons s'il y avait eu le moindre risque? Certainement pas : elle se serait retrouvée avec un tas de procès sur le dos.

Burden commença par rougir un peu, puis il éclata de rire à son tour.

– A présent, essayons de raisonner logiquement, déclara Wexford un peu plus tard tandis qu'ils prenaient leur café. Vous avez dit ce matin que ce n'était pas tant un meurtre qu'il nous fallait prouver, mais une tentative de meurtre. Axel Kingman aurait pu pousser sa femme du balcon, mais personne n'a entendu Hannah et personne n'a entendu un visiteur monter à l'appartement dans le courant de l'après-midi. Néanmoins, s'il y a vraiment eu tentative de meurtre contre elle deux semaines plus tôt, l'hypothèse du meurtre se trouve considérablement renforcée.

– Nous savons tout cela! s'écria Burden avec impatience.

– Un instant. La tentative a donc échoué. Selon Kingman et Hood, Hannah a été prise de nausées et de douloureuses crampes d'estomac. Pourtant, à minuit, elle dormait paisiblement et le lendemain elle était en pleine forme.

– Je ne vois pas où tout cela nous mène.

– A un point très important, qui est peut-être le nœud de l'affaire. Vous dites qu'Axel Kingman a tenté de l'assassiner. Si c'est vrai, vous conviendrez avec moi qu'il avait dû mettre sur pied un plan très élaboré : organiser ce dîner, inviter les deux témoins, s'assurer que sa femme goûterait le plat avant, préparer son tour de passe-passe au moment de servir... Dans ces conditions, n'est-il pas étrange que la méthode utilisée – quelle qu'elle soit – ait si lamentablement échoué ? Que la *vie* d'Hannah n'ait jamais été réellement en danger ? Et que se serait-il passé si la tentative avait réussi ? L'autopsie aurait révélé la présence de substances toxiques dans les viscères. Comment Kingman s'en serait-il sorti à ce moment-là, compte tenu du fait qu'aucun des deux témoins ne l'avait *vu* servir Hannah ?

« Voici donc ma conclusion : personne n'a tenté d'assassiner Hannah, mais quelqu'un a voulu la rendre suffisamment malade *pour qu'il semble y avoir eu tentative de meurtre.*

Burden le regarda, les yeux écarquillés.

– Kingman n'avait aucun intérêt à faire cela. De son point de vue, il fallait que la tentative réussisse, autrement il avait tout à y perdre.

– Exactement. Conclusion ?

Au lieu de lui répondre, Burden, encore sous le coup de son humiliation, objecta d'un ton triomphant :

– Vous oubliez un léger détail : Hannah a été *très* sérieusement malade. Ce n'étaient pas simplement des nausées et des crampes d'estomac. Kingman et Hood n'en ont pas parlé, mais Corinne Last nous a dit qu'elle avait des points noirs devant les yeux, qu'elle commençait à voir double et... – Sa voix faiblit. – Seigneur, vous ne pensez tout de même pas... ?

Wexford inclina la tête.

– Corinne Last est la seule à avoir mentionné ces symptômes. D'autre part, Corinne Last, ayant vécu sept ans avec Kingman, serait la seule à pouvoir confirmer s'il avait l'habitude de rincer les assiettes sitôt après les avoir débarrassées. Or, que dit-elle ? Qu'elle n'en sait rien. N'est-ce pas étrange ? N'est-il pas tout aussi étrange qu'elle ait choisi précisément le moment où Kingman servait sa femme pour aller chercher son sac dans le hall ?

Elle savait qu'Hannah buvait, puisque Hood le lui avait dit. Le soir du dîner chez les Kingman, Hood est passé la prendre – sur sa demande *à elle*. Pourquoi ? Elle a une voiture, et je n'imagine pas un instant qu'une femme comme elle puisse s'intéresser le moins du monde à Hood.

34

– Elle lui a dit que sa voiture était en panne.

– Elle lui a demandé de venir à six heures, alors qu'ils n'étaient pas attendus chez les Kingman avant huit heures. Et elle lui a offert du *café*. Curieux, non, de proposer du café à une heure pareille, et avant un repas? Et qu'arrive-t-il quand il propose de s'arrêter dans un pub en cours de route? Elle ne dit ni oui ni non, mais elle met si longtemps à se préparer qu'ils doivent finalement y renoncer.

« Elle ne voulait pas que Hood boive de l'alcool, Mike, et elle était prête à tout pour l'en empêcher. Bien entendu, elle-même n'en avait pas pris, et elle savait que Kingman ne buvait pas. Mais elle savait également qu'Hannah avait l'habitude de boire son premier verre de la journée vers six heures.

« Considérez maintenant son mobile, beaucoup plus puissant que celui de Kingman. C'est visiblement une femme violente, passionnée et résolue. Hannah lui avait volé Kingman. Kingman l'avait laissée tomber. Elle a alors décidé de se venger des deux, en tuant Hannah et en faisant condamner Kingman pour ce crime. Si elle se contentait de tuer Hannah, elle ne pouvait être sûre que les soupçons retomberaient sur Kingman. Mais si elle s'arrangeait pour donner l'impression que Kingman avait attenté une première fois à la vie de sa femme, il se trouverait dans de très mauvais draps.

« Où était-elle, ce fameux jeudi après-midi? Tout comme Kingman, elle aurait très bien pu monter à l'appartement. Hannah l'aurait fait entrer sans problème. Et si elle avait demandé à Hannah, – elle, l'experte en jardinage – de lui montrer ses plantations sur le balcon, Hannah aurait obéi bien volontiers. Nous avons ensuite le mystère de la bouteille de cognac disparue... Si Kingman était le meurtrier, il l'aurait laissée sur place pour étayer la thèse du suicide. Il aurait pu dire : « Le soir du dîner, ma femme a été malade parce qu'elle avait trop bu. Elle savait que je ne la respectais plus, alors elle s'est tuée, l'esprit troublé par l'alcool. »

Corinne Last, elle, a emporté la bouteille afin qu'on ne découvre pas qu'Hannah buvait. Elle comptait que Hood nous cacherait ce fait, comme il l'avait caché à bien d'autres personnes dans le passé. Elle ne voulait pas que cela se sache, parce que sa *fausse* tentative de meurtre nécessitait que sa victime ait bu de l'alcool.

Avec un soupir, Burden vida la cafetière dans la tasse de Wexford.

– Mais nous avons déjà essayé cette explication, dit-il. Ou plutôt, *j'ai* essayé et ça n'a pas marché. Evidemment, elle aurait pu mélanger les coprins avec d'autres champignons vénéneux, puisqu'elle les avait apportés elle-même de son propre jardin; mais Axel Kingman s'en serait aperçu tout de suite. Et puis ils auraient tous été malades, alcool ou pas. A aucun moment elle n'a été seule avec Hannah avant le repas et elle n'était pas dans la salle à manger quand le plat a été servi.

– Je sais. Malgré tout, nous retournerons la voir demain matin pour lui poser d'autres questions. En attendant, Mike, je m'en vais. La journée a été longue. N'oubliez pas de rentrer votre voiture; ce n'est pas encore ce soir que je vous conduirai d'urgence à l'hôpital.

Ce matin-là, elle avait soigneusement maquillé son beau visage et s'était habillée avec élégance pour se montrer sous l'aspect, au choix, de la violoniste, de l'actrice ou de l'écrivain. Les policiers l'ayant prévenue de leur visite, elle avait laissé de côté l'accoutrement de la jardinière. Ses longues mains pâles donnaient l'impression de n'avoir jamais fouillé la terre ni arraché une mauvaise herbe.

Où était-elle l'après-midi de la mort d'Hannah Kingman? s'enquit Wexford. Elle haussa les sourcils d'un air légèrement surpris. Chez elle, en train de peindre. Seule?

– Les peintres ne travaillent pas en public, répondit-elle avec insolence, les paupières mi-closes.

Elle alluma une cigarette et claqua des doigts à l'adresse de Burden, comme si c'était un domestique, pour qu'il lui passe un cendrier.

– Le samedi 29 octobre, reprit Wexford, je crois que vous avez eu des ennuis avec votre voiture?

Elle hocha indolemment la tête.

En lui demandant de quel genre d'ennuis il s'agissait, Wexford pensait pouvoir la prendre au piège. Erreur.

– On m'a cassé l'un de mes phares pendant que la voiture était à l'arrêt, dit-elle. – Evidemment, elle avait très bien pu le faire elle-même, mais ce serait difficile à prouver. De la même voix douce, elle ajouta : – Voulez-vous voir la facture du garage?

– Ce ne sera pas nécessaire. – Elle ne lui aurait pas proposé de la lui montrer si elle ne l'avait pas eue. – Vous avez demandé à Mr. Hood de passer vous prendre à six heures, je crois.

– En effet. Ce n'est pas que j'apprécie outre mesure sa compagnie, mais je lui avais promis quelques pommes pour sa mère et nous devions les ramasser avant la tombée de la nuit.

– Vous lui avez offert du café mais pas d'alcool. Et vous ne vous êtes pas arrêtés à un pub en allant chez les Kingman. Vous saviez pourtant qu'il n'y aurait même pas un verre de vin à ce dîner?

– J'étais habituée aux manières de Mr. Kingman. – « Mais pas au point, songea Wexford, de pouvoir me dire si oui ou non, il avait l'habitude de rincer les assiettes sans attendre. » Elle eut une petite moue qui la trahit un peu. – Cela ne me gênait pas, je ne suis pas esclave de l'alcool.

– Revenons-en à ces coprins chevelus. Vous les avez cueillis dans votre jardin le 28 octobre et vous les avez apportés à Mr. Kingman le soir même. C'est bien cela?

– En effet. Je les ai ramassés dans ce jardin.

Elle prononça ces mots posément, en regardant Wexford droit dans les yeux. Cela mit la puce à l'oreille du policier et lui donna l'ombre d'une idée. Mais cette idée serait peut-être repartie aussi vite qu'elle était venue si la jeune femme n'avait ajouté :

– Si vous voulez les faire analyser ou je ne sais quoi, vous arrivez un peu tard : la saison est pratiquement terminée. – Elle se tourna vers Burden avec un gracieux sourire. – Mais vous avez cueilli les derniers hier, n'est-ce pas? Alors tout va bien.

Wexford se garda bien de lui parler de l'expérience de Burden.

– Nous allons jeter un coup d'œil dans votre jardin, si vous n'y voyez pas d'inconvénient.

Elle sembla n'y voir aucun inconvénient. En tout cas, elle s'était trompée : en l'espace de vingt-quatre heures, la plupart des champignons s'étaient transformés en pagodes à lamelles noires mais les chapeaux blancs de deux nouveaux coprins émergeaient de l'herbe humide. Wexford les cueillit, sans que Corinne Last manifestât la moindre émotion. Pourquoi, dans ce cas, avait-elle paru si désireuse que la saison fût terminée? Il la remercia et elle rentra dans le cottage, en refermant la porte derrière elle. Wexford et Burden sortirent par la barrière.

A en juger d'après le nombre de champignons sur le bord de la route, la saison était loin d'être terminée; elle semblait même devoir durer encore des semaines. Il y avait des coprins chevelus partout, certains plus petits et plus gris que ceux qui poussaient dans le jardin de Corinne Last. Il y avait aussi des amanites panthères et des oronges ciguë verte, des cornes d'abondance et de minuscules agarics champêtres disposés en cercles réguliers.

— Elle ne voit aucune objection à ce que nous les fassions analyser, dit Wexford d'un air pensif, mais elle préférerait apparemment que nous fassions analyser ceux que vous avez cueillis hier plutôt que ceux que j'ai ramassés aujourd'hui. Est-ce que je me trompe?

— En tout cas, j'ai eu la même impression. Mais ce raisonnement ne nous mène nulle part : nous savons que l'alcool n'a aucun effet sur les coprins.

— Je vais tout de même en ramasser d'autres, dit Wexford. Avez-vous un sac en papier sur vous?

— J'ai un mouchoir propre. Cela fera-t-il l'affaire?

— Il faudra bien.

Il ramassa une douzaine de coprins chevelus; des grands et des petits, des blancs et des gris, des mûrs et des pas mûrs. Puis ils remontèrent en voiture et Wexford demanda au chauffeur de s'arrêter à la bibliothèque municipale. Il en ressortit quelques minutes plus tard, trois gros livres sous le bras.

— Quand nous serons rentrés, dit-il à Burden, vous irez à l'université voir si vous pouvez trouver un expert en champignons.

Il s'enferma dans son bureau avec les trois volumes et une cafetière pleine. Vers l'heure du déjeuner, Burden frappa à sa porte.

– Entrez, dit Wexford. Alors, quelles nouvelles?

– Un expert en champignons s'appelle un *mycologue*, annonça Burden d'une voix triomphante. Malheureusement, il n'y en a pas à l'université. En revanche, j'ai rencontré un toxicologue de la faculté, qui vient de publier un livre sur les empoisonnements par les plantes et les champignons. Je lui ai demandé de venir à six heures. Espérons qu'il pourra nous aider.

– Sans aucun doute, déclara Wexford en refermant avec bruit le plus épais des trois volumes. D'ailleurs, il ne nous manque plus qu'une confirmation; j'ai trouvé la solution.

– Bon sang! Pourquoi ne me l'avez-vous pas dit?

– Vous ne me l'avez pas demandé. Asseyez-vous. – Wexford lui indiqua le siège de l'autre côté du bureau. – Vous avez bien fait vos devoirs, Mike, mais votre livre de classe n'était pas suffisamment explicite. Il comprenait deux parties : l'une sur les champignons comestibles, l'autre sur les champignons vénéneux – mais rien entre les deux. J'entends par là qu'il n'y avait rien dans votre livre concernant les champignons qui, sans être inoffensifs, ne sont pas pour autant dangereux ou mortels. Il n'y avait rien sur les espèces pouvant rendre les gens malades *dans certaines circonstances*.

– Mais nous savons qu'ils ont mangé des coprins chevelus! protesta Burden. Et nous savons que ceux-ci ne sont pas affectés par l'alcool.

– Mike, dit patiemment Wexford, sommes-nous *sûrs* qu'ils ont mangé des coprins chevelus? – Il déversa sur son bureau la récolte qu'ils avaient faite sur le bord de la route et dans le jardin de Corinne Last. – Examinez-les de près, voulez-vous?

Perplexe, Burden tripota la douzaine de champignons qui se trouvaient là.

– Que suis-je censé chercher, au juste?

– Des différences, fit Wexford, laconique.

– Certains sont plus petits que d'autres, et les plus petits sont grisâtres. C'est cela que vous voulez dire? Mais cela ne me paraît pas significatif : les champignons d'une même espèce ne sont jamais tout à fait identiques, il existe toujours...

– Néanmoins, en l'occurrence, c'est cette petite différence qui fait toute la différence. – Wexford sépara les champignons en deux groupes. – Tous les petits gris viennent du bord de la route; les gros blancs viennent soit du jardin de Corinne Last soit du bord de la route.

Il prit entre le pouce et l'index un specimen des premiers.

– Ce n'est pas un coprin chevelu, Mike; c'est un coprin noir d'encre. Ecoutez donc cela. – Il ouvrit le gros volume à la page qu'il avait marquée d'un papier et lut d'une voix lente : – *Le coprin noir d'encre,* coprinus atramentarius, *ne doit pas être confondu avec le coprin chevelu,* coprinus comatus. *Il est plus petit et de couleur grisâtre, mais en dehors de cela les deux espèces se ressemblent beaucoup.* Le coprinus atramentarius *est ordinairement inoffensif; néanmoins, il contient un produit chimique dérivé du principe actif de* l'Antabuse, *un médicament utilisé dans le traitement des alcooliques, et s'il est consommé après ingestion d'alcool, il provoquera des nausées et des vomissements.*

– Nous n'arriverons jamais à le prouver.

– Pas si sûr, dit Wexford. Nous avons maintenant de quoi démarrer : nous savons en effet que Corinne Last a menti lorsqu'elle nous a déclaré avoir ramassé *dans son jardin* les champignons qu'elle a donnés à Kingman.

# PAS DE FUMÉE SANS FEU

Ils paraissaient choqués, indignés et vaguement honteux. Mais par-dessus tout, ils paraissaient vieux. Normalement, se dit Wexford, une femme de soixante-dix ans devrait être orpheline depuis une vingtaine d'années; or Mrs. Betts était orpheline depuis à peine vingt jours. Assis en face d'elle, son mari tiraillait sa moustache tombante, en secouant lentement la tête comme un automate. Il semblait beaucoup plus âgé qu'elle, plus proche de la génération de sa défunte belle-mère. Il portait un cardigan marron reprisé au coude, des pantoufles fourrées, et il reniflait en parlant.

— C'est à n'en pas croire ses oreilles! s'exclama Mrs. Betts. Pourquoi les gens sont-ils si méchants?

Wexford ne répondit pas : il en était bien incapable, quoiqu'il se fût souvent posé la question.

— Ma mère est morte d'une attaque, reprit Mrs. Betts d'une voix tremblante. C'est ce que le Dr Moss a écrit sur le certificat de décès.

Betts renifla. Avec son cardigan en laine, sa moustache jaunie et son menton mal rasé, il faisait penser Wexford à un vieux lapin atteint de myxomatose.

– Elle avait quatre-vingt douze ans, dit-il de son épaisse voix de catarrheux. *Quatre-vingt douze ans!* Ma parole, vous avez tous une araignée au plafond!

– Alors d'après vous, renchérit Mrs. Betts, le Dr Moss aurait dit des menteries? Lui, un médecin?

– Interrogez-le donc! Ma femme et moi, on est des gens ordinaires, on n'a pas d'instruction. Le docteur a parlé d'une hémorragie cérébrale – Betts trébucha un peu sur le mot. – ... En langage clair, ça veut dire une attaque. Voilà ce qu'il a dit. Insinuez-vous que ma femme ou moi on lui aurait donné une attaque? C'est ça que vous insinuez?

– Je n'accuse personne, Mr. Betts. – Wexford se sentait mal à l'aise; il aurait donné n'importe quoi pour être ailleurs. – Je fais simplement une enquête à la suite d'informations reçues.

– Des ragots! lança Mrs. Betts avec amertume. Cette rue est un nid de commères. Oh, je sais bien ce qu'elles racontent, allez! La moitié d'entre elles détournent la tête sur mon passage. Elles sont toutes impossibles avec nous. A part Elsie Parrish, bien entendu.

– Une perle, cette Elsie, dit son mari. Une vraie perle. – Il regarda Wexford avec un mélange de colère et de crainte. – Vous avez donc rien de mieux à faire, vous autres, que d'écouter les divagations de ces vieilles sorcières? Et les agressions? Et les cambriolages?

Wexford soupira mais poursuivit son interrogatoire sans faiblir, se rappelant ce que l'infirmière et le Dr Moss lui avaient dit. S'il n'avait été un policier profondément respectueux de la loi et de la vie humaine, peut-être aurait-il été tenté de penser que le ménage Betts – ou l'un des deux – avait dû être vraiment poussé à bout pour en arriver à commettre un meurtre.

L'un des deux? Les deux? Ou aucun des deux? Soit Ivy Wrangton était morte de cause non naturelle, soit il y avait eu une série de coïncidences et de hasards – ce qui, après tout, n'était nullement invraisemblable.

C'était l'infirmière, Nurse Judith Radcliffe, qui avait été à l'origine de tout. Elle était venue voir Wexford trois jours auparavant. Le policier la connaissait de vue : c'était une assez jolie blonde d'environ trente-cinq ans, un peu forte, avec de grandes mains rouges, et qui avait toujours l'air fatigué. Même ce matin-là, alors qu'elle venait de prendre deux semaines de vacances. Elle portait son uniforme d'été : une robe imprimée bleue et blanche, un tablier blanc, un cardigan gris, un petit chapeau rond et les souliers à semelles épaisses qui lui servaient été comme hiver.

– Mr. Wexford? s'enquit-elle. L'inspecteur-chef Wexford...? Oui, c'est bien vous. Je me souviens être allée rendre visite à votre fille après son accouchement, à l'époque où je faisais mon obstétrique. Je ne me rappelle pas son nom mais le bébé s'appelait Benjamin.

Wexford sourit et lui indiqua l'une des petites chaises jaunes. Son bureau était clair et gai même quand il n'y avait pas de soleil, ce qui n'est pas courant pour un poste de police.

– Asseyez-vous, Nurse Radcliffe, je vous en prie. Le sergent Martin m'a vaguement expliqué l'objet de votre visite.

– Je suis un peu confuse. Vous allez penser que je fais une montagne d'une taupinière...

– Ne vous inquiétez pas. Si c'est le cas, je vous le

dirai franchement et nous n'en parlerons plus. Cela restera entre nous et ces quatre murs.

Elle eut un petit rire étranglé.

— Oh! mais c'est déjà allé beaucoup plus loin. J'ai trois patientes à Castle Road, et elles m'en ont parlé toutes les trois. En ce moment, à Castle Road, on ne parle que de la mort de cette pauvre Mrs. Wrangton. Alors je me suis dit... bref, il n'y a jamais de fumée sans feu, n'est-ce pas?

Mentalement, Wexford énuméra : montagne, taupinière, fumée, feu... L'histoire prenait des allures de volcan.

— Si vous en veniez au fait? dit-il d'un ton ferme.

— Mieux vaut que vous l'appreniez par quelqu'un du métier, reprit-elle avec embarras. Mrs. Wrangton était âgée de quatre-vingt douze ans, mais elle était solide comme le roc : mince, forte, un cœur de jeune fille. Elle est morte le jour de mon départ en vacances mais la veille, comme d'habitude, je lui avais donné son bain hebdomadaire — elle ne pouvait pas sortir de la baignoire toute seule — et je l'avais trouvée dans une forme exceptionnelle. J'ai été stupéfaite, à mon retour, d'apprendre qu'elle avait été emportée le lendemain par une hémorragie cérébrale.

— Quand êtes-vous rentrée, Nurse Radcliffe?

— Vendredi dernier, le 16. Et la première chose que j'ai entendue lundi, en reprenant mon travail, c'est que Mrs. Wrangton était morte et qu'on l'avait... hum, aidée à s'en aller. — Elle s'interrompit un instant avant de reprendre : — Je suis partie le 2 juin, le jour de sa mort, et la cérémonie a eu lieu le 7.

— La cérémonie?

— L'incinération, si vous préférez... — Nurse Radcliffe leva les yeux en entendant soupirer Wexford.

– C'est le Dr Moss qui a délivré le permis d'inhumer. En fait, le médecin traitant de Mrs. Wrangton était le Dr Crocker mais il était en vacances, lui aussi. J'ignore ce qui s'est passé exactement le 2 juin, Mr. Wexford; je sais simplement ce que racontent les dames de Castle Road. Voulez-vous que je vous le dise?

– Vous ne m'avez pas encore dit de quoi elle est morte.

– D'une attaque, à en croire le Dr Moss.

– Je ne vois pas très bien comment on pourrait provoquer une attaque, dit sèchement Wexford.

– Moi non plus, reconnut Nurse Radcliffe, prise de court. – Si elle avait osé, elle aurait volontiers répliqué à Wexford que c'était à lui de le découvrir. Mais elle préféra changer de sujet. – Mrs. Wrangton et sa fille, Doreen Betts, se détestaient cordialement; elles étaient comme chien et chat. Quant à Mr. Betts, il n'avait pas dû adresser la parole à Mrs. Wrangton depuis plus d'un an. Quand on songe que Mrs. Wrangton les abritait gratuitement sous son toit, on ne peut s'empêcher de trouver cette attitude pour le moins ingrate. Je réprouvais également la façon dont Mrs. Betts parlait à sa mère, mais je n'avais pas mon mot à dire... Mr. Betts est maintenant à la retraite, mais il n'avait qu'une toute petite situation dans les Postes; sa femme et lui se sont donc installés chez Mrs. Wrangton. C'est une belle maison de l'époque victorienne, vaste et solide. Je me disais souvent qu'elle aurait eu bien besoin d'un petit coup de peinture et que c'était dommage que Mr. Betts ne veuille pas s'y mettre. Et puis un beau jour, Mrs. Wrangton m'a annoncé qu'elle allait faire venir des peintres pour tout retaper, l'intérieur comme l'extérieur...

Wexford interrompit ce flot de considérations apparemment sans rapport avec l'affaire :

– Pourquoi les Betts et Mrs. Wrangton étaient-ils en si mauvais termes?

Nurse Radcliffe leva les yeux au ciel, montrant clairement par-là qu'elle avait rarement côtoyé de tels abîmes de naïveté.

– Pour dire les choses carrément, Mr. Wexford, Mr. et Mrs. Betts trouvaient que Mrs. Wrangton restait sur terre un peu trop longtemps et que c'était leur tour de profiter des joies de la vie. Ils ne sont mariés que depuis cinq ou six ans, vous savez. Avant, Mrs Bett n'était qu'une vieille fille qui habitait à la maison avec maman. Elle a fait la connaissance de Mr. Betts au Club du Troisième Age. Mrs. Wrangton disait toujours que sa fille aurait pu trouver un meilleur parti, que Mr. Betts s'intéressait uniquement à la maison et à son argent.

– Vous l'a-t-elle dit de façon aussi explicite?

– Oh! pas seulement à moi, à tout le monde. Elle en était vraiment convaincue. Il lui était désagréable de l'abriter sous son toit.

Wexford se trémoussa impatiemment dans son fauteuil.

– Si nous devions faire une enquête chaque fois que meurt une personne qui ne s'entendait pas avec sa famille...

– Attendez, attendez, ce n'est pas tout! Mrs. Betts a fait venir le Dr Moss le 23 mai, juste quatre jours après le départ en vacances du Dr Crocker. Pourquoi? Mystère. Mrs Wrangton allait parfaitement bien. En voyant arriver le Dr Moss, elle s'est écriée : « C'est ma fille qui vous a appelé, je parie? Tout ça parce que j'ai dormi un peu plus tard ce matin! » Elle était si fière de sa bonne santé, la pauvre chère âme... Elle n'avait jamais été malade de sa vie, sauf une fois – encore était-ce davantage une allergie qu'une véritable maladie. Je vais vous dire, moi, Mr. Wexford, pourquoi Mrs. Betts avait fait venir le docteur : pour que, *à la mort de Mrs. Wrangton,* il soit en mesure de signer le certificat de décès. Ce n'était pas son médecin traitant, vous comprenez; mais aux termes de la loi, il suffisait qu'il l'ait examinée moins de deux semaines auparavant. On raconte que Mrs. Betts a attendu exprès le départ en vacances du Dr Crocker, parce qu'elle savait qu'il n'accepterait pas si facilement la mort de sa mère. Il aurait demandé une autopsie et cela aurait mis le feu aux poudres. – Nurse Radcliffe ne précisa pas de quelle façon, mais Wexford jugea préférable de ne pas l'interrompre. – La dernière fois que je l'ai vue, poursuivit-elle, c'était le Ier juin. Avant de partir, j'ai bavardé un peu avec le peintre – ils étaient deux mais je vous parle du plus jeune, celui qui avait une vingtaine d'années. Je lui ai demandé quand ils pensaient avoir terminé, et il m'a répondu que ce serait plus tôt que prévu car Mrs. Betts leur avait dit de terminer simplement la cuisine et de s'en aller. Sur le moment, j'ai trouvé cela curieux, parce que Mrs. Wrangton ne m'en avait pas parlé. Au contraire, elle m'avait fait part de son intention de faire poser du carrelage dans la salle de bains.

« Supposez, M. Wexford, que Mrs. Betts ait ordonné la suspension des travaux parce qu'elle *savait* que sa mère mourrait le lendemain? Elle ne voulait pas faire repeindre la maison, cela diminuait d'autant sa part d'héritage.

– Mrs. Wrangton laisse-t-elle beaucoup d'argent?

– Trois ou quatre mille livres à la banque, je pense, plus la maison. Je sais qu'elle a fait un testament, puisque je l'ai signé en qualité de témoin, avec le Dr Crocker. Elle m'avait expliqué qu'elle laissait la maison à Mrs. Betts et une petite somme d'argent à son amie Elsie Parrish. C'est tout ce que je sais. Mrs Parrish, pour sa part, se refuse à croire à un acte de malveillance. Je l'ai rencontrée à Castle Road et elle était ulcérée par les bruits qui couraient.

– Qui est Elsie Parrish?

– Une amie de Mrs. Wrangton, une vieille dame absolument charmante. Elle a beau avoir près de quatre-vingts ans, elle est vive comme un criquet. Et voilà qui m'amène au plus grave... Le vendredi 2 juin, dans l'après-midi, Mr. et Mrs. Betts sont allés à un tournoi de bridge. Sachant qu'ils devaient s'absenter, Mrs. Parrish avait dit à Mrs. Betts de venir frapper à sa porte avant de partir et qu'elle irait tenir compagnie à Mrs. Wrangton. Cela lui arrivait quelquefois; il n'était pas prudent de laisser Mrs. Wrangton seule, à son âge. Mrs. Parrish a donc attendu, mais comme Mrs. Betts ne venait pas, elle s'est dit qu'ils avaient dû changer d'avis et rester à la maison. Mais ils étaient bel et bien partis; ils avaient délibérément omis de prévenir Mrs. Parrish. Ils ont laissé Mrs. Wrangton toute seule avec ce jeune peintre, chose qu'ils n'avaient jamais faite avant – pas une seule fois.

Wexford enregistra tout cela en silence. Evidemment, cette histoire était déplaisante, mais de là à envisager un meurtre... Nurse Radcliffe paraissait à bout de souffle; elle s'adossa à sa chaise avec un soupir exténué.

– Vous avez parlé tout à l'heure d'une allergie... hasarda Wexford.

– Seigneur, c'était il y a cinquante ans! Un banal rhume des foins, je crois. Il y a toujours eu de l'asthme dans la famille. Le frère de Mrs. Betts était asthmatique et Mrs. Betts a de l'urticaire. Tout cela se tient.

Il inclina la tête. Il avait l'impression que l'infirmière ne lui avait pas encore tout dit, que le volcan allait maintenant se mettre en éruption.

– Si les Betts n'étaient pas là, reprit-il, comment auraient-ils pu hâter la fin de Mrs. Wrangton?

– Ils sont rentrés deux heures avant sa mort. Elle était déjà dans le coma, et pourtant ils ont attendu *une heure et demie* avant d'appeler le Dr Moss.

– Aurais-tu signé ce certificat de décès, Len? demanda Wexford au Dr Crocker.

Les deux hommes se trouvaient dans le centre médical de Kingsmarkham, un pavillon abritant deux cabinets de consultation et une salle d'attente. Le Dr Crocker venait de renvoyer son dernier patient de la journée, muni de paroles réconfortantes et d'une ordonnance. Il lança à Wexford un regard méfiant.

– Naturellement, pourquoi pas? Mrs. Wrangton avait quatre-vingt douze ans. Radcliffe exagère de dire que sa mort a été une surprise. On s'attend toujours à voir mourir d'un jour à l'autre une personne de cet âge-là. J'espère que personne ne met en doute les capacités de mon excellent confrère?

– Pas moi, en tout cas, lui assura Wexford. Rien ne me plairait davantage que de classer définitivement cette histoire. Mais je suis bien obligé de t'interroger, tu comprends? Et Jim Moss également.

Le Dr Crocker s'amadoua un peu. L'inspecteur-chef et lui étaient des amis de longue date : ils avaient usé leurs fonds de culotte ensemble à l'école et avaient passé pratiquement toute leur vie à Kingsmarkham, où Crocker exerçait – entre autres – les fonctions de médecin légiste tandis que Wexford était chef du C.I.D. Mais un médecin ne pouvait tolérer, même de la part d'un vieil ami, la moindre insinuation de négligence à l'encontre d'un de ses collègues. Crocker se hérissa de nouveau lorsque Wexford reprit :

– Comment, sans autopsie, pouvait-il être *sûr* qu'il s'agissait bien d'une attaque?

– Quelle patience il faut avoir, Seigneur! Rappelle-toi qu'il est arrivé une demi-heure avant sa mort, Reg. Et il y a certains symptômes caractéristiques qu'un praticien expérimenté ne peut manquer de reconnaître. Le patient est dans le coma, il a le teint rouge, le pouls très lent, la respiration sertoreuse, avec gonflement des joues à l'expiration. La seule confusion possible est avec l'intoxication alcoolique, mais les pupilles sont alors très dilatées, alors que dans le cas d'une attaque d'apoplexie elles sont contractées. Te voici satisfait?

– Bon, d'accord, c'était une attaque. Mais ne dit-on pas qu'une attaque peut être provoquée par une opération, par exemple, ou par une naissance – ou, dans le cas d'une personne âgée, par des escarres?

– La vieille Ivy Wrangton n'avait pas d'escarres et elle n'avait pas eu de bébé depuis soixante-dix ans. Elle a eu une attaque à cause de son grand âge et parce que ses artères étaient fichues. – Il cessa d'arpenter la pièce comme un ours en cage et revint s'asseoir sur le bord de son bureau, sa position favorite – Encore heureux qu'elle ait été incinérée! reprit-il. Cela exclut toute possibilité d'exhumation et d'autopsie. C'était une femme remarquable, tu sais, Reg, vigoureuse comme pas deux. Elle m'a raconté un jour la naissance de son premier enfant. Elle avait dix-huit ans, et elle était en train de frotter le sol de la cuisine quand elle a eu une première contraction. Elle a demandé à sa mère d'aller chercher la sage-femme et elle s'est allongée sur son lit. Le bébé est arrivé après deux autres contractions. Quant à la fille, elle est venue au monde encore plus facilement.

– Oui, j'ai cru comprendre qu'elle avait eu un autre enfant. – Wexford se sentit ridicule d'employer le mot « enfant » pour une personne qui devait avoir dans les soixante-dix ans. – Mrs. Betts a donc un frère?

– *Avait*. Il est mort l'hiver dernier. C'était un vieil homme, qui avait eu des problèmes de bronches toute sa vie. Mrs. Wrangton, elle, était très fière de sa bonne santé, se vantait de n'être jamais malade. Je passais la voir en moyenne une fois tous les trois mois, pour la routine, et quand je lui demandais comment elle allait, elle me répondait invariablement : « Docteur, je me sens en pleine forme! »

– Je crois savoir qu'elle avait eu une maladie en rapport avec une allergie. – Wexford se raccrochait à ce qu'il pouvait. – C'est Nurse Radcliffe qui m'en a parlé. Je me demandais si cela aurait pu...

– Bien sûr que non! l'interrompit le médecin. Comment veux-tu? Elle avait quarante ans à l'époque, et cette prétendue maladie n'était qu'une simple crise d'asthme assortie de troubles gastriques. J'imagine qu'elle avait exagéré exprès la gravité de cette crise, comme le font les gens sains lorsqu'ils parlent de l'unique petite maladie qu'ils ont jamais eue... Ah! voici Jim. Il me semblait bien avoir entendu partir son dernier patient.

Le Dr Moss, petit homme brun tiré à quatre épingles, émergea du couloir séparant les deux cabinets de consultation. Il adressa à Wexford un large sourire, exhibant trente-deux grandes dents blanches dont l'inspecteur-chef n'avait jamais pu déterminer si elles étaient vraies ou fausses. Mais ses petits yeux noirs ne souriaient pas du tout.

– Voici le toubib félon, lança-t-il, l'affreux rénégat qui est de mèche avec les cupides héritiers, comme chacun sait! Je me rends, inspecteur-chef! Voulez-vous que je vous donne le numéro de mon compte suisse? Ou préférez-vous que je vous montre le marteau avec lequel j'ai proprement assommé Mrs Wrangton?

Il est toujours très difficile de contrer ce genre de facéties. Wexford savait que s'il tentait de répliquer au médecin ou, au contraire, de l'amadouer, il ne ferait qu'aggraver les choses. Il se contenta donc de subir stoïquement, avec le sourire, l'assaut d'ironie du Dr Moss, lequel se déclarait prêt à avouer qu'il était – entre autres – un médecin corrompu, un tueur de vieilles dames, un maniaque de la fiole à poisons et un obsédé de la seringue hypodermique. Incapable d'en supporter davantage, Wexford interrompit net cette confession apparemment interminable en demandant à Crocker :

– Tu as été témoin de son testament, je crois?

– Avec Radcliffe, oui. Si cela t'intéresse, Doreen Betts hérite de la maison et de trois milles livres, le reste allant à une autre de mes patientes, Mrs. Parrish. D'après ce que m'a dit Mrs. Wrangton à l'époque, le reste devait représenter environ quinze cents livres. Naturellement, compte tenu du fait que son argent était placé dans une société immobilière et qu'elle arrivait à économiser sur sa retraite et son annuité, cela doit représenter beaucoup plus maintenant.

Wexford inclina la tête. Le Dr Moss s'était enfin tu, sans doute à court d'idées; maintenant qu'il avait la bouche fermée, ses dents n'éclairaient plus son visage et il avait l'air sinistre. Wexford décida de tenter l'approche la plus simple et la plus directe : il s'excusa.

– Je n'ai jamais prétendu qu'il y avait eu négligence de votre part, Dr Moss. Mais mettez-vous à ma place...

– Impossible!

– Bien. Alors, tâchez au moins de comprendre que, dans ma position, je n'avais d'autre choix que d'ouvrir une enquête.

– Si jamais Mrs. Betts décide d'intenter un procès pour diffamation, elle pourra compter sur mon soutien. Les Betts n'ont pas pu tuer Mrs. Wrangton et ils n'avaient pas de mobile; mais cela n'empêche pas une clique de vieilles sorcières de les traîner dans la boue.

– Pour ce qui est du mobile, rétorqua posément Wexford, ils en avaient un. Il leur fallait se débarrasser de Mrs. Wrangton pour hériter de la maison.

– Absurde! – L'espace d'une seconde, les dents blanches étincelèrent. – Ils auraient été débarrassés d'elle de toute façon, et ils auraient eu la maison pour eux tout seuls. Mrs. Wrangton allait entrer dans une maison de retraite. – Il s'interrompit pour savourer l'effet provoqué par ses paroles. – Jusqu'à la fin de ses jours, ajouta-t-il d'un ton quelque peu dramatique.

Crocker descendit de son perchoir.

– J'ignorais cela.

– Vraiment? Il paraît cependant que c'est vous

qui lui aviez parlé de la nouvelle maison de retraite de Stowerton. Elle m'a tout raconté le jour où Mrs. Betts m'a fait venir, quand vous étiez en vacances. C'était vers la fin mai. Elle faisait repeindre entièrement la maison pour sa fille et pour son gendre avant de partir.

– Vous l'a-t-elle dit elle-même? demanda Wexford.

– Non, mais c'était visible. Si cela peut vous faire plaisir, je puis vous raconter ce qui s'est passé exactement pendant ma visite. Radcliffe, cette harpie irresponsable, venait de donner son bain à Mrs. Wrangton, et elle est partie après l'avoir habillée. Bon débarras! C'était la première fois que je rencontrais Mrs Wrangton. A part sa tension un peu élevée, elle allait parfaitement bien et j'étais un peu surpris que Mrs. Betts m'ait fait venir. Mrs. Wrangton m'a expliqué que sa fille s'inquiétait quand elle dormait tard le matin, comme elle l'avait fait la veille et ce jour-là. Mais à l'en croire, cela n'avait rien d'étonnant, puisqu'elle avait regardé la Coupe du Monde à la télévision jusqu'aux petites heures. Seulement cela, les Betts ne le savaient pas et elle me fit promettre de ne pas le leur dire. Et nous nous sommes mis à rire comme des conspirateurs. C'était une drôle de petite vieille, Mrs. Wrangton, je l'aimais bien... Ensuite, elle a commencé à me parler de cette maison de retraite... voyons, comment s'appelle-t-elle? Springfield? Sunnyside?

– Summerland, dit le Dr Crocker.

– Je lui ai fait remarquer que ce genre d'établissement devait être très coûteux, à quoi elle m'a répondu qu'elle attendait pour bientôt une grosse rentrée d'argent. J'imagine qu'elle allait toucher une annuité... Nous avons bavardé cinq minutes, et elle m'a donné l'impression de caresser ce projet depuis des mois. Quand je lui ai demandé ce qu'en pensait sa fille, elle m'a dit...

– Oui? l'encouragea Wexford.

– Seigneur! soupira le médecin, des gens comme vous feraient paraître sinistres les remarques les plus innocentes. Elle a simplement dit : « Qui aurait cru que Doreen se mordrait les doigts de me voir partir? » En fait, cela impliquait très nettement que Mrs. Betts ne serait pas satisfaite. J'ignore ce qu'elle entendait par là et je ne le lui ai pas demandé. Ce qui est sûr, c'est que Mrs. Betts n'avait aucune raison de tuer sa mère. Cela revenait au même pour les Betts qu'elle fût morte ou vivante : ils auraient eu la maison sans délai et, après la mort de Mrs. Wrangton, son capital. Quand je l'ai vue la fois suivante, elle était mourante, dans le coma. Elle est morte le 2 juin à sept heures et demie du soir.

Wexford avait perdu ses parents alors qu'il n'avait pas quarante ans; quant à sa femme, elle avait perdu sa mère et son père respectivement vingt ans et quinze ans auparavant. Aucune de ces personnes n'ayant dépassé les soixante-dix ans, Wexford n'avait jusqu'à présent aucune expérience du problème des vieillards. Il lui semblait que ce n'aurait pas été un si mauvais destin pour Mrs. Wrangton de terminer ses jours dans une agréable maison de retraite avec des gens de bonne compagnie. Et ç'aurait été une véritable bénédiction pour les Betts, qui auraient pu se contenter d'aller la voir une heure par semaine. Non, décidément, Doreen Betts et son mari n'avaient aucun motif d'aider Mrs. Wrangton à quitter ce monde; celle-ci, en se retirant à Summerland, n'aurait même pas eu besoin de pratiquer des ponctions dans son capital de trois ou quatre mille livres. Sa pension et son annuité auraient suffi à couvrir les frais. Wexford se demanda à combien pouvaient s'élever les tarifs d'une maison de retraite; il se rappelait vaguement avoir entendu, quelques années plus tôt, sa femme prononcer le chiffre de vingt livres par semaine, à propos de la vieille tante d'une amie. Evidemment, il fallait compter avec l'inflation, mais cela ne devait certainement pas faire plus de trente livres par semaine à l'heure actuelle. Avec une retraite de dix-huit livres et une annuité d'environ vingt livres, Mrs. Wrangton pouvait largement se payer Summerland.

Mais elle était morte avant, de cause naturelle. Peu importait désormais qu'elle ne se fût pas entendue avec Harry Betts, que personne n'eût été prévenir Elsie Parrish, que le Dr Moss eût été appelé pour faire soigner une femme en parfaite santé, que Mrs Betts eût donné l'ordre d'arrêter les travaux... Il n'y avait pas de mobile. Les ragots allaient cesser, le testament de Mrs. Wrangton serait homologué et les Betts pourraient jouir tout le reste de leur vie de leur maison fraîchement repeinte.

Wexford oublia l'affaire. Il se demanda simplement s'il devait aller à Castle Road pour donner un coup d'arrêt aux commérages. Mais il comprit que ce serait inutile; d'ailleurs, il ne considérait pas que cela entrât dans ses attributions. Non, mieux valait laisser cette histoire mourir de sa belle mort – comme Mrs. Wrangton.

Le lundi suivant, pendant qu'il prenait son petit déjeuner, sa femme lisait une lettre de sa sœur qu'elle venait de recevoir.

– Frances dit que la mère de Bill va finalement devoir entrer dans une maison de retraite. – Bill était le beau-frère de Wexford. – C'est la seule solution, car Fran ne peut vraiment pas la prendre chez elle.

Plongé dans son journal, Wexford émit des onomatopées vibrantes de sympathie pour Frances. Il lisait le compte-rendu d'un retentissant procès criminel.

– Quatre-vingt-dix livres par semaine, dit Dora.

– Que dis-tu?

– Je parlais toute seule, mon chéri. Toi, lis ton journal.

– As-tu bien dit quatre-vingt-dix livres par semaine?

– Oui. C'est le tarif de la maison de retraite. Je ne pense pas que Fran et Bill puissent supporter longtemps cette charge. Cinq mille livres par an, c'est bien lourd.

– Mais... mais... bredouilla Wexford, il y a deux ans, tu as dis que c'était vingt livres par semaine pour la tante de Rosemary!

– Premièrement, mon chéri, répondit gentiment Dora, c'était il y a *douze* ans et non pas deux ans. Secundo, n'as-tu jamais entendu parler de la hausse du coût de la vie?

Une heure plus tard, Wexford pénétrait dans le bureau de la directrice de Summerland. Il déclina son identité et expliqua qu'il cherchait une bonne maison de retraite pour une parente de sa femme, une certaine tante Lilian. Cette tante Lilian avait réellement existé; peut-être existait-elle d'ailleurs encore dans ce lointain village du Westmoreland d'où elle avait écrit pour la dernière fois aux Wexford en 1959.

La directrice, Mrs. Corrigan, était une Irlandaise

à peu près du même âge que Nurse Radcliffe. A ses pieds, deux petits garçons – d'environ trois et six ans – jouaient avec un tracteur miniature. Par la fenêtre, Wexford voyait trois petites filles qui tentaient de faire sortir un chat noir de sous une voiture. On aurait pu se croire dans un home d'enfants s'il n'y avait eu ces vieilles femmes assises en demi-cercle sur la pelouse et qui somnolaient, parlaient toutes seules ou regardaient dans le vide. Il y avait des fleurs partout : des lilas blancs, des lilas mauves et des roses en bouton. Derrière une haie, on entendait le ronronnement d'une tondeuse à gazon.

– Nous demandons quatre-vingt-*quinze* livres par semaine, Mr. Wexford, dit la directrice. Avec le supplément pour la lessive et le repassage, vous pouvez compter cinq mille livres par an pour faire un chiffre rond.

– Je vois.

– Les femmes seules doivent partager une chambre avec une autre pensionnaire. Nous les changeons et les baignons une fois par semaine. A ce propos, vous voudrez bien veiller à ce que votre tante ne porte que des tissus synthétiques, si vous voyez ce que je veux dire, car nous mélangeons tout dans la machine. Les frais de pension doivent être réglés un mois à l'avance, par chèque bancaire exclusivement.

– Malheureusement, dit Wexford, je crains que vos tarifs soient un peu élevés pour moi. Il me faudra trouver une autre solution.

– Dans ce cas, il n'y a plus rien à ajouter, dit Mrs. Corrigan avec un sourire presque aussi rayonnant que celui du Dr Moss.

– A titre de curiosité, Mrs. Corrigan, comment font vos... hum, pensionnaires pour verser cinq mille livres par an? C'est une bien grosse somme...

– Certes, Mr. Wexford; mais la plupart de ces femmes sont des veuves à qui leur mari a laissé une maison. Alors elles vendent leur maison, tout simplement; avec les prix qui se pratiquent à l'heure actuelle, cela leur permet de se payer Summerland pendant quatre ou cinq ans.

Ainsi, Mrs. Wrangton avait pris la décision de vendre sa maison, sans en avertir les Betts; et elle l'avait fait repeindre complètement afin d'en obtenir un meilleur prix. Pas étonnant qu'elle ait laissé entendre au Dr Moss que sa fille serait désolée de la voir partir! Quelle femme! Quelle méchanceté chez cette vieille dame de quatre-vingt-douze ans! D'un autre côté, qui aurait pu lui reprocher d'agir ainsi? C'était sa maison, après tout. Doreen Wrangton aurait sans doute dû songer plus tôt à s'installer chez elle; quant à Doreen Betts, elle aurait été en droit d'espérer que son mari lui garantisse un toit. N'empêche, quelle façon monstrueuse de se venger d'un gendre antipathique et d'une fille pas toujours très attentionnée! La subtilité de ce plan suscitait l'admiration de Wexford, presque autant que sa cruauté provoquait son dégoût. Mais en attendant, le mobile existait bel et bien.

Il retourna donc à Castle Road pour affronter de nouveau les Betts. Après avoir protesté avec véhémence contre les calomnies dont ils étaient victimes et contre l'apparente impuissance de la police à faire respecter leurs droits, Doreen Betts accepta enfin de répondre aux questions de Wexford. Elle réagit à la première avec passion :

– Maman n'aurait jamais fait ça! Je la connaissais bien, elle n'arrêtait pas de bluffer. Même maman n'aurait pas été cruelle à ce point.

Son mari tira sur sa moustache en raclant lentement le plancher avec ses pieds chaussés de pantoufles. Son excitation coléreuse résulta en une goutte d'eau qui apparut au bout de son nez et y resta suspendue, tremblante.

– Quand je lui ai demandé si je pouvais dire aux ouvriers de partir, elle m'a dit : « Pourquoi pas? Cela ne me dérange pas ». C'est ce qu'elle a dit. A ce moment-là, j'ai compris qu'elle n'irait pas jusqu'au bout. D'ailleurs, je lui ai bien mis les points sur les i. Je lui ai dit : « Quatre-vingt-quinze livres par semaine, et tu n'auras même pas une chambre particulière! Et puis ils te mettront au lit à huit heures; ne crois pas que tu pourras regarder la télé jusqu'aux petites heures! »

– Trop évident, intervint Betts.

– Enfin, reprit sa femme, si on avait su que maman voulait faire ça, on aurait pu s'installer dans l'appartement de Harry après notre mariage. Il avait un joli appartement dans High Street. Pas un simple studio, comme le prétendait maman; c'était un vrai appartement, n'est-ce pas, Harry? Qu'est-ce qu'on serait devenus si maman nous avait fait ça? On se serait retrouvés sans toit. – En voyant son mari secouer la tête et agiter les pieds d'un air absent, sa goutte tremblante au bout du nez, elle parut perdre son sang-froid. – Je vais avoir une petite conversation toute seule avec le policier, Harry, dit-elle.

Wexford la suivit dans la pièce où Mrs. Wrangton avait passé les dernières années de sa vie. Située au rez-de-chaussée, à l'arrière, elle avait deux fenêtres donnant sur une terrasse en ciment, longue et étroite, et sur un jardin, très long et très étroit. Cette pièce-là n'avait pas été repeinte : les murs étaient tapissés d'un papier à fleurs décoloré et les boiseries étaient en imitation de noyer. Le matelas du lit était découvert, une pile de couvertures pliées dessus. Comme dans la chambre du devant, il y avait une télévision, placée de façon à ce qu'on puisse la regarder du lit.

– Depuis plusieurs années, maman s'était installée ici, expliqua Mrs. Betts. Il y a des WC au bout du couloir. Elle ne pouvait plus monter l'escalier toute seule. – Elle s'assit sur le bord du matelas, en jouant nerveusement avec ses doigts. – Maman détestait Harry, reprit-elle. Elle disait toujours qu'il n'était pas assez bien pour moi. Elle a fait tout son possible pour m'empêcher de l'épouser. – La voix de Mrs. Betts prit des accents de petite fille révoltée. – A soixante-cinq ans, on n'a pas besoin du consentement de sa mère pour se marier, que je sache?

En tout cas, songea Wexford, elle s'en était passée. Il regarda avec étonnement ce petit bout de femme de soixante-dix ans qui parlait comme une princesse de conte de fées.

– Pendant des années, elle a menacé de modifier son testament et de laisser la maison à mon frère. Et c'est quand il est mort que cette histoire de maison de retraite a démarré. A ce moment-là, elle s'est violemment querellée avec Harry; elle l'a accusé devant Elsie Parrish de m'avoir épousée uniquement pour la maison. Harry ne lui a plus jamais adressé la parole, et je le comprends. J'ai dit à maman : « Tu es une mauvaise femme. Tu m'avais promis voici des années que j'aurais cette maison et maintenant tu reviens sur ta parole. Mais tu ne l'emporteras pas en paradis! »

La fille avait hérité de la langue aiguisée de sa mère. Wexford imaginait sans peine les fréquentes altercations, surprises par les voisins, qui avaient contribué à alimenter les cancans. Il se tourna vers un guéridon en acajou sur lequel trônait, dans un cadre, une photo de mariage datant de 1903. La mariée était assise dans un nuage de dentelles, un diadème de perles sur la tête et des lis sur les genoux; le marié était debout derrière elle, en redingote, avec une moustache noire en guidon de vélo. Ivy Wrangton paraissait plutôt dodue sur cette photo, mais, à en croire Nurse Radcliffe, elle avait minci avec l'âge. D'un ton détaché, Wexford s'enquit :

– Mrs. Betts, pourquoi avez-vous appelé le Dr Moss le 23 mai? Votre mère n'était pas malade; elle ne s'était plainte de rien.

– Et pourquoi ne l'aurais-je pas fait? Le Dr Crocker était en vacances. Quand Elsie est arrivée, à neuf heures, maman dormait encore. Elsie trouvait ça bizarre qu'elle dorme autant. On a eu beau la secouer, on n'arrivait pas à la réveiller; alors on s'est inquétées. Je ne pouvais pas prévoir qu'elle serait debout et en pleine forme dix minutes après, pas vrai?

– Parlez-moi du vendredi 2 juin, Mrs. Betts, le jour où votre mère est morte.

Les lèvres tremblantes, elle dit vivement :

– Vous n'imaginez pas que Harry ait fait quelque chose à maman, n'est-ce pas? Il en est incapable, je le jure!

– Parlez-moi de ce vendredi, répéta calmement Wexford.

Elle fit un effort pour se contrôler.

– Harry et moi, on avait envie d'aller à un tournoi de bridge. Quand Elsie est passée, dans la matinée, je lui ai demandé si elle pourrait tenir compagnie à maman en notre absence. Elle m'a dit que c'était d'accord, que je n'aurais qu'à frapper à sa porte avant de partir. – Mrs. Betts soupira et sa voix s'affermit. – Elsie habite un peu plus bas dans la rue. C'est une vieille amie de maman et elle venait toujours la garder quand on sortait. Autant dire une fois tous les trente-six du mois...

Wexford regarda de nouveau la jeune fille de la photo, au visage rond et hautain, à la bouche déjà dure; puis il se retourna vers la nerveuse petite femme assise sur le bord du matelas.

– J'ai donc fait déjeuner maman, reprit Mrs. Betts, et je l'ai laissée dans le salon en train de tricoter. Ensuite, j'ai couru sonner à la porte d'Elsie mais elle n'a pas dû entendre car elle n'a pas ouvert. Après avoir sonné une bonne minute, je me suis dit qu'elle avait dû oublier et sortir faire des courses. Harry et moi, on a hésité un moment, et puis finalement il a décidé qu'on pouvait très bien partir quand même. Roy – c'est le peintre – avait beau être tout jeune, il s'entendait très bien avec maman; en tout cas, mieux qu'on ne s'était jamais entendues elle et moi. Bref, on est donc partis en la laissant avec Roy, qui travaillait dans le hall. Elle était en pleine forme à ce moment-là. Comme il faisait beau, j'ai ouvert toutes les fenêtres, parce que la peinture sentait très fort. Je n'oublierai jamais ce qu'elle m'a dit juste avant que je parte. C'est la dernière chose qu'elle m'ait dite : « Doreen, tu mériterais d'avoir de la chance au jeu. Tu n'as pas eu beaucoup de chance en amour. » Là-dessus, elle a éclaté de rire, et il m'a semblé que Roy riait aussi.

Mrs. Betts répéta ensuite à Wexford le compte-rendu que lui avait fait le peintre de ce qui s'était passé en leur absence. Bien que ce ne fût pas là un témoignage direct, le policier la laissa parler.

– Roy a fermé la porte du salon pour empêcher

64

l'odeur de se répandre, mais il est allé voir plusieurs fois si maman allait bien. Après avoir bavardé un moment avec elle, il lui a demandé si elle voulait une tasse de thé et elle lui a répondu que non. Puis, vers trois heures et demie, maman s'est plainte d'une migraine – elle a mis cela sur le compte de la peinture, alors qu'en fait c'était un symptôme de l'attaque – et elle lui a demandé d'aller chercher deux comprimés de paracétamol dans la salle de bains. Elle les a avalés avec une gorgée d'eau, puis elle a dit à Roy qu'elle allait essayer de faire un somme dans son fauteuil. Mais un peu plus tard, il l'a vue sortir dans le hall, appuyée sur ses deux cannes, pour aller s'allonger sur le lit.

« Quand on est rentrés à cinq heures et demie, Harry et moi, Roy s'apprêtait à partir. Il nous a dit que maman se reposait sur son lit, et j'ai juste entrouvert la porte pour jeter un coup d'œil. On n'y voyait pas grand-chose, parce que les rideaux étaient tirés. – Mrs. Betts s'interrompit un instant avant de lancer avec défi : – A vrai dire, je n'ai pas regardé de trop près. Je me disais : Dieu merci, encore une demi-heure de tranquillité avant qu'elle se remette à déblatérer sur Harry. Quand je suis retournée dans la chambre, vers sept heures moins le quart, j'ai tout de suite vu que quelque chose n'allait pas. Elle respirait péniblement, en gonflant les joues, elle était rouge et elle avait du sang sur les lèvres. – Pour la première fois, elle regarda Wexford dans les yeux. – J'ai essuyé le sang avant d'appeler le docteur; je ne voulais pas qu'il voie ça.

« Le Dr Moss est arrivé très vite. Je pensais qu'il ferait venir une ambulance, mais il m'a dit que maman avait eu une attaque et qu'on ne pouvait pas la transporter. Alors on est restés à son chevet, et à sept heures et demie elle est morte.

Wexford hocha la tête d'un air pensif. Quelque chose ne collait pas dans ce qu'elle venait de dire; il le sentait. Il ne s'agissait pas d'un mensonge flagrant, non, c'était autre chose : un détail incongru dans ce récit par ailleurs banal, un mot étrange à la place d'un mot familier... Il était plongé dans ces réflexions lorsqu'il entendit des pas dans le hall. La porte s'ouvrit et un visage apparut dans l'entrebâillement.

– Vous voilà, Doreen! s'exclama la nouvelle venue, une fort jolie personne compte tenu de son âge. Je passais par là et... Oh, excusez-moi, je vous dérange!

– Pas du tout, dit Mrs. Betts. Entrez, Elsie. – Elle se tourna vers Wexford, le regard las. – Inspecteur-chef, je vous présente Mrs. Parrish.

Elsie Parrish correspondait tout à fait à l'idée que se faisait Wexford d'une « charmante vieille dame ». Elle sentait la poudre de riz, la violette et le cachou – odeurs que l'on aurait aussi bien pu associer à un bébé très propre. Elle portait des bas gris, des gants blancs et un manteau en soie bleu marine par-dessus une jupe plissée à fleurs. Son visage rose et ridé était auréolé d'une masse bouffante de cheveux argentés que, de loin, on aurait pu prendre pour un turban de soie blanche. Elle avait à la main un filet en nylon rose pour faire ses courses. Wexford descendit Castle Road avec elle en direction du supermarché.

– Toutes ces femmes sont méchantes, déclara Elsie Parrish avec sévérité. Je ne comprends pas que les gens puissent être aussi mal intentionnés. Vous remarquerez qu'aucune d'entre elles n'est capable d'expliquer comment Doreen aurait pu provoquer une attaque chez sa mère alors qu'elle n'était pas là. – Elle eut un petit rire ironique. – A moins qu'elles s'imaginent que Doreen a soudoyé ce jeune peintre pour faire peur à Ivy... Je me souviens, ma mère disait toujours qu'une grande frayeur pouvait entraîner une attaque – une crise d'apoplexie, comme elle disait.

Wexford fut surpris de voir son élégante compagne prendre un paquet de cigarettes dans son sac et en mettre une entre ses lèvres. Il secoua la tête quand elle lui en proposa une, et il la regarda allumer sa cigarette avec une allumette qu'elle sortit d'une boîte gainée de cuir noir. Wexford ne se rappelait pas avoir jamais vu quelqu'un fumer en gants blancs.

– Pourquoi n'êtes-vous pas allée tenir compagnie à Mrs. Wrangton ce vendredi-là, Mrs. Parrish?

– Le jour de sa mort, vous voulez dire?

– Oui.

Wexford eut la nette impression qu'elle ne voulait pas répondre, qu'elle ne voulait pas risquer de compromettre Mrs. Betts.

– Je crains bien de devenir un peu sourde, répondit-elle avec prudence. – Il ne s'en était pas rendu compte : elle avait entendu tout ce qu'il avait dit, malgré les bruits de la rue, sans qu'il élève la voix. – Je n'entends pas toujours la sonnette. Doreen a certainement sonné mais je n'ai pas entendu. C'est la seule explication.

Etait-ce bien la seule?

Elsie Parrish porta la cigarette à ses lèvres entre le pouce et l'index.

– Je me suis dit qu'ils avaient finalement renoncé à sortir, reprit-elle. Je donnerais cher pour pouvoir revivre cette journée. Cette fois, je n'hésiterais pas : j'irais tenir compagnie à Ivy, que Doreen sonne à ma porte ou non.

– Votre présence n'aurait sans doute rien changé,

dit Wexford. — Après un silence, il ajouta : — Mrs. Betts avait dit aux ouvriers de ne pas repeindre le premier étage...

— Il n'en avait peut-être pas besoin, l'interrompit-elle. Je ne peux pas vous dire, je ne suis jamais montée au premier.

Ils étaient arrivés à l'angle de la rue, où leurs chemins se séparaient. Elsie Parrish laissa tomber son mégot et l'écrasa avec application sous son haut talon. Puis elle sortit de son sac un petit mouchoir de dentelle, avec lequel elle se tamponna les narines.

— Chère Ivy... murmura-t-elle. Elle m'a laissé deux mille livres. Elle était si bonne, si généreuse! Je savais qu'elle devait me laisser un petit quelque chose, mais je ne m'attendais certes pas à une telle somme. — Elle eut un sourire noyé, un sourire de petite fille triste. Malgré tout, Wexford ne s'attendait pas à ce qui suivit : — Je vais m'acheter une voiture.

Il ne put s'empêcher de hausser les sourcils.

— Mon permis est toujours valable, même si je n'ai pas conduit depuis la mort de mon mari, voici vingt-deux ans. J'ai été obligée de vendre notre voiture à l'époque et j'ai toujours eu une envie folle d'en avoir une autre. — Elle avait l'air vraiment sincère. Pour un peu, elle aurait exécuté un pas de danse sur le trottoir en battant des mains. — Je vais avoir une petite voiture à moi toute seule! Et je le devrai à cette chère Ivy! — Avec une pointe d'anxiété, elle s'enquit : — Vous ne pensez pas que je sois trop âgée pour conduire, n'est-ce pas?

Wexford le pensait mais il se contenta de dire qu'il n'était pas qualifié pour répondre. Avec un sourire ravi, Elsie Parrish inclina la tête et s'engouffra dans le supermarché. Wexford, lui, s'éloigna lentement, l'air pensif, les yeux baissés. C'est ce qui lui permit de voir, à ses pieds, la boîte d'allumettes gainée de cuir noir. Il lui avait bien semblé qu'elle perdait quelque chose quand elle avait ouvert son sac pour prendre son mouchoir.

Mrs. Parrish n'était plus dans le magasin; elle avait dû sortir par l'autre issue, celle qui donnait sur High Street. Haussant les épaules, Wexford fourra la boîte d'allumettes dans sa poche et n'y pensa plus.


– Vous cherchez Roy?

– Précisément, dit Wexford.

Le gérant ne lui en demanda pas la raison.

– Il repeint en ce moment les bureaux de la *Snowcem,* sur la route de Sewingbury.

Wexford s'y rendit en voiture. Roy était un garçon gigantesque, large d'épaules, avec une auréole de cheveux blonds et bouclés. Wexford arriva au moment où le jeune homme s'apprêtait à prendre une pause café. Ils allèrent s'installer dans un relais routier à deux pas de là.

– Je n'ai appris la nouvelle que le lendemain, quand j'y suis retourné, dit Roy en allumant une cigarette.

– Mais la veille, quand Mrs. Betts est rentrée, elle vous a bien demandé comment allait sa mère?

– Oui, évidemment. Et je lui ai dit la vérité, à savoir que la vieille dame avait eu une migraine, que je lui avais donné des comprimés, et qu'ensuite elle était allée s'allonger parce qu'elle se sentait fatiguée. Mais comprenez bien : elle n'avait pas du tout l'air *mourante.* Je n'ai pas pensé un instant que ça pouvait être grave.

Wexford se dit que, souvent, une violente

migraine était le signe avant-coureur d'une hémorragie cérébrale. Roy dut deviner ce qu'il pensait car il ajouta vivement :

— Ce n'était pas la première fois qu'elle avait une migraine, vous savez. Ces nouvelles peintures ont une sacrée odeur, au point qu'au début elles me donnaient mal à la tête, même à moi! D'ailleurs, il n'y avait rien d'extraordinaire à ce qu'elle prenne comme ça des cachets d'aspirine avant d'aller s'étendre. Ça lui était déjà arrivé deux ou trois fois.

— Parlez-moi de ce fameux vendredi après-midi, dit Wexford. Est-ce que quelqu'un est venu en l'absence de Mr. et Mrs. Betts?

Roy secoua la tête.

— Je vous réponds formellement non. Je l'aurais su, je travaillais dans le hall et la porte d'entrée était grande ouverte à cause de l'odeur. Quant à la porte de service, Mrs. Betts l'avait fermée à clef avant de partir. Qu'est-ce que vous voulez savoir d'autre, mon vieux?

— Ce qui s'est passé exactement, de quoi vous avez parlé avec Mrs. Wrangton... Tout, quoi.

Roy vida sa tasse et alluma une nouvelle cigarette avec le mégot de la précédente.

— Je m'entendais bien avec elle, vous savez. Elle me rappelait un peu ma grand-mère. C'est drôle : tout le monde s'entendait bien avec elle, sauf sa fille et son gendre. Un drôle de type, lui, hein? Il me donne la chair de poule. Enfin, pour en revenir à votre question, je crois pas qu'on ait tellement bavardé. Je peignais, vous comprenez, et la porte de communication était fermée. Je suis entré deux fois pour voir comment ça allait, et elle était assise dans son fauteuil à tricoter en regardant un match de cricket à la télé. A un moment, je me souviens, elle a dit que je faisais du beau travail et que c'était dommage de penser qu'elle ne serait pas là pour en profiter. Moi, j'ai cru qu'elle entendait par là qu'elle serait morte, alors je lui ai dit : « Allons, Mrs. Wrangton, faut pas parler comme ça! » Et elle m'a répondu en rigolant : « Vous m'avez mal comprise, Roy. C'est simplement que je vais devoir vendre cette maison pour entrer dans une maison de retraite. » Je lui ai dit qu'une grande baraque comme ça, ça lui rapporterait un paquet, au moins vingt mille livres. Et elle m'a dit qu'elle l'espérait bien.

Wexford hocha la tête. Ainsi, quoiqu'en pense Doreen Betts, Mrs. Wrangton avait bien eu l'intention d'aller jusqu'au bout. Il reprit son interrogatoire :

– Lui avez-vous proposé de préparer du thé?

– Ouais, mais elle n'en voulait pas. Elle m'a demandé d'éteindre la télé et d'aller chercher des cachets d'aspirine dans le placard de la salle de bains, parce qu'elle avait mal à la tête. J'avais vu Mrs. Betts le faire tellement souvent que je n'ai pas...

– Etes-vous bien sûr qu'elle a employé le mot « aspirine »?

Wexford comprenait maintenant ce qui lui avait semblé incongru dans le récit de Mrs. Betts : elle avait parlé de paracétamol au lieu d'aspirine, le médicament couramment utilisé contre les maux de tête.

Roy fronça les sourcils.

– Maintenant que vous me posez la question, je n'en suis plus tellement sûr. Je crois bien qu'elle a dit « mes cachets » ou « mes comprimés pour la tête », quelque chose comme ça. Et dans ces cas-là, tout le monde prend de l'aspirine, pas vrai? En tout cas, je lui ai apporté la bouteille, je lui ai donné les cachets avec un verre d'eau, et elle m'a dit qu'elle allait dormir un peu dans son fauteuil. Mais quelques minutes plus tard, je l'ai vue sortir de la pièce en s'appuyant sur ses cannes, et elle m'a dit : « J'en ai pris quatre, Roy, mais ma tête me fait bien mal. C'est même pire qu'avant, et en plus j'ai des vertiges. » Moi, je me suis pas inquiété : les vertiges, c'est normal à cet âge-là, non? Ma grand-mère était pareille. Mrs. Wrangton s'est plainte aussi d'avoir des bourdonnements dans les oreilles, alors je lui ai proposé de l'aider à aller s'étendre. Elle s'est allongée sur le lit, tout habillée, et elle a fermé les yeux. Comme il y avait beaucoup de soleil, j'ai fermé les rideaux avant de sortir. Et puis je suis retourné à ma peinture et je n'ai plus rien entendu jusqu'au retour des Betts, à cinq heures et demie... »

Wexford referma le *Manuel Pratique de la Médecine Légale*, de Francis E. Camps et J.M. Cameron, et retourna à Castle Road. Il avait décidé de ne pas discuter davantage de l'affaire avec Mrs. Betts; la présence de son mari, qui se déplaçait presque silencieusement dans ses panfoufles fourrées, lui tapait sur les nerfs. Mrs. Betts ne vit aucune objection à remettre à l'inspecteur-chef la bouteille de comprimés portant l'étiquette : *Mrs. I. Wrangton, Paracétamol.*

Wexford rentra dîner chez lui, après avoir envoyé au labo deux pièces à conviction pour y faire relever les empreintes. Et à huit heures et demie, il se présenta au cabinet de consultation du Dr Crocker. Le médecin émit un grognement en le voyant.

– Qu'y a-t-il encore, Reg?

– Pourquoi avais-tu prescrit à Mrs. Wrangton du paracétamol?

– Parce que je le jugeais bon. Elle était allergique à l'aspirine.

Wexford regarda son ami avec désespoir.

– Et c'est maintenant que tu me le dis! Encore heureux que je l'aie deviné tout seul, sinon je pouvais toujours attendre!

– Allons, Reg, tu le savais bien! Nurse Radcliffe t'en avait parlé, tu me l'as dit toi-même...

– Je croyais que c'était de l'asthme.

Crocker s'assit sur le bord de son bureau.

– Il y avait effectivement de l'asthme dans la famille de Mrs. Wrangton, Reg. Mrs. Betts en a, et son frère en avait également. Or il est prouvé que dix pour cent des personnes qui ont de l'asthme – ou qui en ont dans leur famille – sont allergiques à l'aspirine. Dans ce cas, l'allergie se manifeste par une crise d'asthme : c'est ce qu'a eu Mrs. Wrangton lorsqu'elle avait une quarantaine d'années...

– Ça va, glapit Wexford, je ne suis pas complètement ignorant. J'ai lu des articles sur l'allergie à l'acide acétylsalicyclique...

– Mrs. Wrangton ne s'est certainement pas empoisonnée avec de l'aspirine, dit vivement le médecin. Il n'y en avait pas dans la maison; Mrs. Betts était très stricte sur ce point.

Ils furent interrompus par l'arrivée du Dr Moss, tout souriant. Wexford se tourna vers lui.

– A votre avis, docteur, quel effet pourrait avoir un gramme ou deux d'acide acétylsalicyclique sur une femme de quatre-vingt-douze ans allergique à l'aspirine?

Moss le regarda d'un air méfiant.

– Il s'agit d'une question purement hypothétique, j'espère? – Comme Wexford ne répondait pas, il poursuivit : – L'effet dépendrait du degré de l'allergie : des nausées, sans doute, avec vertiges, diarrhée, bourdonnements d'oreilles, difficultés à respirer, hémorragie gastrique, et éventuellement, rupture de l'œsophage. Chez une personne de cet âge, un tel choc provoquerait certainement une hémorragie cérébrale...

Il s'interrompit, réalisant ce qu'il venait de dire.

– Merci infiniment, dit Wexford. Vous venez de décrire ce qui a dû arriver à Mrs. Wrangton le vendredi 2 juin, après qu'elle eut absorbé quatre comprimés de trois cents milligrammes d'aspirine.

Le Dr Moss paraissait abasourdi, comme si la foudre était tombée à ses pieds. Wexford tendit à Crocker une enveloppe.

– Est-ce que ce sont des aspirines? demanda-t-il.

Crocker examina les cachets, en toucha un avec la langue.

– Je le suppose, mais...

– J'ai envoyé les autres au labo pour avoir une certitude. Il y en avait cinquante-six dans le flacon.

– Reg, Il est impensable que le pharmacien ait pu commettre une telle erreur; et même en acceptant cette hypothèse, Mrs. Wrangton n'aurait jamais pu prendre quarante-quatre cachets d'aspirine. Même en plusieurs mois.

– Tu es un peu lent à comprendre, Len, dit Wexford. Tu avais prescrit cent comprimés de paracétamol, et ils ont effectivement été mis dans cette bouteille chez Fraser, le pharmacien. Entre le jour où cette préparation a été faite et la veille – ou l'avant-veille, peu importe – de sa mort, Mrs Wrangton a avalé quarante comprimés de paracétamol, en en laissant soixante dans le flacon. Mais le 2 juin, elle a pris quatre cachets d'aspirine. Pour exprimer les choses clairement, quelqu'un a remplacé, avant le 2 juin, les soixante comprimés de paracétamol par soixante cachets d'aspirine.

Le Dr Moss retrouva sa voix.

– Alors il s'agit d'un meurtre délibéré!

– Pas si sûr, dit Wexford d'une voix hésitante. Après tout, l'allergie aurait très bien pu ne pas provoquer une attaque. On avait peut-être seulement l'intention de rendre Mrs. Wrangton suffisamment malade pour nécessiter son hospitalisation. Avec prise en charge de la sécurité sociale. Plus de dépenses exorbitantes pour la maison de retraite, plus de vente de la maison, et un capital inentamé. Par la suite, si Mrs. Wrangton avait survécu, on l'aurait probablement transportée – encore gratuitement – dans la salle des vieillards du même hôpital. Il est bien connu qu'aucune maison de retraite privée ne veut prendre de malades chroniques.

– Vous pensez que Mrs. Betts...? commença le Dr Moss.

– Non. Pour deux bonnes raisons. Mrs. Betts est la seule personne qui ne s'y serait pas prise de cette façon. Pourquoi aurait-elle changé les soixante comprimés du flacon, alors qu'il lui suffisait de donner les aspirines à sa mère de la main à la main? D'autre part, si elle les avait changés malgré tout, ne les aurait-elle pas remis en place aussitôt après la mort de Mrs. Wrangton?

– Alors, qui...?

– Je le saurai demain, dit Wexford.

Le lendemain matin, Crocker vint le voir à son bureau au poste de police.

– Désolé d'être en retard, mais je viens de perdre une de mes patientes.

Wexford lui présenta ses condoléances. Avec un haussement d'épaules fataliste, le médecin jeta un coup d'œil sur les deux fauteuils disponibles et s'installa sur le bord du bureau.

– Hier, commença Wexford, j'ai eu une conversation avec Mrs. Elsie Parrish. – Crocker eut une exclamation étouffée et se pencha brusquement en avant, mais Wexford l'interrompit d'un geste. – Avant que nous nous séparions, elle a laissé tomber une boîte d'allumettes gainée de cuir, que j'ai ramassée. Et j'ai fait comparer les empreintes de la boîte avec celles de la bouteille de paracétamol. Sur la bouteille, il y avait les empreintes de Mrs. Betts, celles de Mrs. Wrangton, probablement, et aussi celles du peintre. Et il y en avait une paire très nette, identique à celles de la boîte d'allumettes.

« C'est Elsie Parrish qui a procédé à l'échange des comprimés, Len. Elle a fait cela parce qu'elle savait que Mrs. Wrangton avait la ferme intention de se retirer à Summerland et que les quelques milliers de livres de capital – qu'elle devait partager avec Doreen Betts – lui fileraient sous le nez. Elsie Parrish attendait cet argent depuis des années; elle mourait d'envie de s'acheter une voiture. Encore quelques années et, à supposer qu'elle fût encore vivante, elle serait trop âgée pour conduire. En outre, son legs aurait depuis longtemps servi à payer la maison de retraite.

– Une vieille dame aussi charmante? s'écria Crocker avec incrédulité. Ses empreintes sur le flacon ne constituent pas une preuve : elle a dû bien souvent aller chercher cette bouteille pour son amie Ivy.

– Non. Elle m'a dit elle-même qu'elle n'était jamais montée au premier étage.

– Mon Dieu...

– Elle n'a sans doute pas eu conscience de commettre un meurtre. Après tout, ce n'était qu'un simple échange de comprimés... – Wexford s'assit, le visage soucieux. – Je ne sais que faire, Len. Nous n'avons aucun moyen de prouver que Mrs. Wrangton est morte d'un empoisonnement par l'aspirine; nous ne pouvons pas l'exhumer pour analyser deux poignées de cendres. Et même si c'était possible, aurions-nous le cœur d'envoyer en prison une femme de quatre-vingts ans?

– Soixante dix-huit exactement.

– Cela revient au même... D'un autre côté, doit-on la laisser profiter de son crime? Doit-on la laisser terroriser les piétons au volant d'une Ford Fiesta?

– Le problème ne se pose pas, dit Crocker.

Le ton de sa voix intrigua Wexford.

– Pourquoi? Qu'entends-tu par là?

Le médecin descendit de son perchoir.

– Je t'ai dit que je venais de perdre une patiente. Elsie Parrish est morte cette nuit. Une voisine l'a trouvée inanimée ce matin et m'a aussitôt prévenu.

– C'est peut-être mieux ainsi. De quoi est-elle morte?

– D'une attaque, répondit Crocker.

Sur ces mots, il s'en fut.

# LE CERCLE DE CRAIE
## DE KINGSMARKHAM

– Il y a en bas une jeune fille dans tous ses états, monsieur, annonça Polly Davies. Elle dit qu'on lui a pris son bébé dans son landau.

L'inspecteur-chef Wexford était occupé à rédiger une note à l'intention du conseil municipal pour lui demander, dans la mesure du possible, de ne pas dresser des échafaudages devant ses immeubles locatifs plus de neuf mois avant le début des travaux. A cause de ces échafaudages, il y avait déjà eu deux cambriolages et une attaque à main armée. Il leva les yeux de son papier et soupira.

– On n'a pas idée, aussi, de laisser un bébé sans surveillance. On ne verrait jamais une femme laisser son sac à provisions devant une boutique!

– Elle l'avait laissé en bas de son immeuble, monsieur, pas devant une boutique. Mais le plus curieux, c'est que la personne qui a enlevé le bébé en a laissé un autre à la place.

Lentement, Wexford se leva. Il contourna son bureau et regarda Polly, sourcils froncés.

– Constable Davies, vous vous payez ma tête?

– Je ne me permettrais pas, monsieur. Cette jeune femme – une certaine Mrs. Bond – déclare que quand elle est descendue rentrer le landau, il y avait dedans un autre bébé que le sien.

Wexford descendit au rez-de-chaussée avec Polly. Dans l'une des salles d'interrogatoire était assise une jeune fille d'environ dix-neuf ans qui buvait du thé en sanglotant. Elle avait de longs cheveux blonds et un petit visage enfantin, naïf et apeuré. Elle était vêtue d'un jean bleu et d'un T-shirt orné sur le devant de pommes, de fraises et d'oranges. A la voir ainsi, elle paraissait encore bien jeune pour être mère. Cependant, il y avait aussi un bébé dans la pièce : en barboteuse blanche et cardigan, il dormait dans les bras du détective constable Loring, visiblement mal à l'aise.

Wexford avait entendu dire que les femmes qui venaient d'accoucher étaient parfois sujettes à diverses aberrations. Sa première pensée fut donc que Mrs. Bond s'était simplement imaginée que ce bébé n'était pas le sien.

– Voilà une bien étrange histoire, Mrs. Bond, dit-il. Racontez-moi ce qui s'est passé, voulez-vous?

– J'ai déjà tout dit.

– Peut-être, mais pas à moi. Tenez, dites-moi donc où vous habitez et où se trouvait votre bébé.

Elle repoussa sa tasse avec un sanglot.

– A Greenhill Court, au cinquième étage. Comme nous n'avons pas de balcon, je suis obligée, pour faire prendre un peu l'air à Karen, de la mettre dans son landau en bas de l'immeuble. Elle ne peut pas rester enfermée toute la journée... Et quand elle est en bas, naturellement, je ne peux pas la surveiller constamment. Je ne la vois même pas du salon parce que les fenêtres donnent sur le parking.

– Vous l'avez donc sortie dans son landau cet après-midi. Quelle heure était-il?

– Juste deux heures. J'ai laissé le landau avec la moustiquaire dessus et quand je suis redescendue, vers quatre heures et demie, le bébé dormait toujours mais... mais ce n'était pas Karen! – Ses lèvres tremblèrent et elle fondit en larmes. – Ce n'était pas Karen, c'était ce bébé-là!

Le bébé se réveilla et se mit à pleurer à son tour. Loring plissa le nez d'un air expressif et jeta un regard suppliant à Polly, qui inclina la tête et sortit vivement de la pièce.

– Qu'avez-vous fait alors? demanda Wexford.

– Je ne suis même pas remontée chez moi. J'ai poussé le landau et j'ai couru jusqu'ici sans m'arrêter.

Wexford fut touché par cette confiance enfantine.

– Mrs. Bond, dit-il, quel est votre prénom?

– Philippa, mais tout le monde m'appelle Pippa.

– Alors je vais faire de même, si vous le voulez bien. Décrivez-moi Karen, Pippa. Est-elle blonde, brune? Quel âge a-t-elle?

– Deux mois... enfin, neuf semaines exactement. Elle a des yeux bleus et elle porte une barboteuse blanche. – Sa voix se remit à trembler. – Et elle a les cheveux roux les plus beaux du monde!

Malgré lui, Wexford tourna son regard vers le bébé que Loring tenait dans les bras : le signalement correspondait en tous points. Avec douceur, il dit à Pippa Bond :

– Etes-vous bien sûre de n'avoir pas imaginé tout cela? Rassurez-vous, si c'est le cas, nous ne vous en voudrons pas. Vous vous sentiez peut-être un peu coupable d'avoir laissé Karen si longtemps sans surveillance; quand vous êtes redescendue, il vous a semblé qu'elle n'était pas comme d'habitude et...

Un gémissement d'indignation l'interrompit et la jeune femme se remit à pleurer à longs sanglots déchirants. Polly Davies revint à cet instant avec une petite serviette qu'elle était allée chercher aux toilettes. Elle prit le bébé des bras de Loring, l'allongea sur la table et dégrafa l'épingle de nourrice qui retenait ses couches. Pippa Bond eut un brusque mouvement de recul, comme si le bébé était atteint d'une maladie contagieuse.

– Je n'invente rien du tout! lança-t-elle à Wexford. Je suis quand même capable de reconnaître mon enfant! Pensez-vous vraiment que je pourrais confondre ma Karen avec *ça*?

Polly était en train de plier la serviette en triangle. Elle s'écarta un peu pour permettre à Wexford de voir les petites jambes gigotantes et le ventre nu.

– Ce bébé n'est certainement pas Karen, monsieur. Voyez vous-même... c'est un garçon.

Trevor Bond arriva en trombe de Stowerton, où il travaillait dans une agence immobilière. Il paraissait à peine plus âgé que sa femme. Pippa se cramponna à lui en poussant des gémissements inarticulés, tandis qu'il lui caressait les cheveux en regardant les policiers avec désespoir.

C'était sa belle-sœur – la sœur de Pippa – qui l'avait conduit au commissariat dans sa propre voiture. Elle s'appelait Susan Rains et habitait elle aussi à Greenhill Court avec son mari. Quand elle vit Pippa sortir du poste de police au bras de Trevor, elle ne lui accorda qu'un bref signe de tête et un haussement d'épaules exaspéré. Ce fut elle qui, un quart d'heure plus tard, montra à Loring et au sergent Martin l'emplacement du landau, entre le pâté d'immeubles et la route de Stowerton. Et pendant que cette jeune et mince rouquine fustigeait la négligence de sa sœur, le Dr Moss administrait un sédatif à Pippa, laquelle s'était un peu calmée en apprenant qu'elle n'aurait pas à prendre en charge le bébé inconnu.

Celui-ci – que Wexford avait déjà baptisé Poil de Carotte – fut confié à un foyer d'enfants de Kingsmarkham, sous la responsabilité de la municipalité. C'était un beau bébé à la frimousse toute ronde, avec de grands yeux bleus et des cheveux d'un rouge pâle, couleur carotte crue – d'où ce surnom que le policier lui avait donné. Il paraissait plus âgé que la petite Karen, d'un ou deux mois; il était capable de fixer son regard et il dévisageait Wexford en gémissant misérablement. Il enfouit son visage dans la poitrine plate de Polly, en pleurant parce qu'il avait faim.

– Difficile de savoir ce qu'ils pensent, pas vrai, monsieur? dit Polly. Sous prétexte que nous ne nous rappelons rien de nos propres sentiments à cet âge, nous considérons comme acquis que les bébés n'ont pas d'émotions, ne ressentent rien. Et si, en réalité, leurs émotions étaient si terribles qu'ils les enfouissent au plus profond d'eux-mêmes afin de ne pas s'en souvenir par la suite? Ce doit être affreux d'être séparé de sa mère et de ne pas pouvoir le dire... Ça n'a l'air de rien mais jamais personne ne pense à ces choses-là.

– Si. Les psychiatres, et sans doute aussi les philosophes; mais pas les gens ordinaires comme nous. Il faudra vous en souvenir quand vous aurez des enfants, Polly. En attendant, emmenez-le à Bystall Lane, voulez-vous?

L'inspecteur Burden arriva quelques minutes plus tard. On lui avait raconté toute l'histoire dans le hall mais il n'avait pas voulu y croire. Wexford lui assura que les faits, pour incroyables qu'ils fussent, étaient parfaitement authentiques.

– Mais qui pourrait avoir intérêt à faire une chose pareille? dit Burden. A part un déséquilibré, et encore!

– En ce qui me concerne, dit Wexford, je vois plusieurs hypothèses possibles. Tout d'abord, nous pouvons considérer que la personne qui a fait cela est, jusqu'à un certain point, mentalement perturbée; les gens dit normaux ne kidnappent pas les bébés des autres, sans parler de les échanger. A mon avis, en l'occurrence, nous avons affaire à une femme. Une femme qui voulait se débarrasser de cet enfant mais en avait besoin d'un autre. D'accord?

– D'accord, convint Burden. Mais *pourquoi*?

– Peut-être devait-elle le montrer à quelqu'un qui s'attendait à voir un bébé ressemblant davantage à Karen Bond qu'au jeune Poil de Carotte, dit lentement Wexford, comme s'il réfléchissait tout haut. Ou qui s'attendait à voir une petite fille. Ou alors, c'est une femme qui a déjà eu plusieurs garçons et dont le mari était absent à la naissance du dernier bébé; elle lui a annoncé que c'était une petite fille et, comme elle a peur de lui, elle s'est débrouillée pour en avoir une à lui montrer. Ce pourrait encore être une femme qui a fait croire à son amant – ou ex-amant – que le bébé était plus jeune qu'il ne l'est en réalité, ceci afin de le convaincre de sa paternité.

– Heureusement que vous avez d'abord précisé qu'il s'agissait d'une personne mentalement perturbée, ironisa Burden.

– Ou alors, poursuivit Wexford sans s'émouvoir, elle en avait peut-être assez de s'occuper d'un bébé qui hurlait tout le temps, alors elle a décidé de l'échanger contre un autre qui, croyait-elle, serait plus sage.

Burden semblait trouver remarquable l'imagination de Wexford mais toutes ces hypothèses le laissaient visiblement sceptique.

– Et à part cela, dit-il, qu'allons-nous faire?

– J'ai mis tous les hommes disponibles sur l'affaire. Nous allons passer au peigne fin les hôpitaux, les cabinets de médecin, les cliniques et les maternités. A mon avis, c'est quelqu'un de Kingsmarkham ou des environs qui a fait le coup; une personne qui savait peut-être que le landau serait là parce qu'elle l'avait déjà vu à cet endroit.

– Et qui aurait vu le bébé en même temps? demanda Burden en haussant les sourcils.

– Pas forcément. Un landau avec une moustiquaire implique généralement un tout petit bébé. – Wexford hésita un instant avant de reprendre : – En tout cas, c'est sacrément plus inquiétant qu'un simple kidnapping.

– A cause de l'âge de Karen Bond? hasarda Burden.

– Non, pas à cause de cela. Ecoutez, Mike, en général, une femme qui vole un bébé est une femme qui aime les enfants et désire en avoir un à elle. Mais celle qui nous occupe a *déjà* un enfant à elle, un bébé qu'elle déteste au point de l'abandonner à une inconnue. Quelle réaction peut-on attendre d'une femme pareille? Si elle néglige son propre enfant, prendra-t-elle soin de celui d'une autre? Si je trouve cette histoire inquiétante, c'est parce que nous savons que cette femme a pris Karen dans un but bien précis – mais que nous ignorons ce qui se passera quand elle n'en aura plus besoin.

Les Bond habitaient un immeuble de six étages,

construit là où il y avait eu encore récemment de vastes prairies. Il y avait trois immeubles du même genre : Greenhill, Fairlawn et Hillside Courts, en alternance avec des rangées de cottages. Chaque immeuble était séparé de la route de Stowerton par une simple plate-bande d'une dizaine de mètres. Le landau de Karen Bond avait été là, non loin de l'allée de service.

Wexford et Burden interrogèrent le gardien responsable des trois immeubles. Sans résultat : au moment de l'enlèvement, celui-ci était occupé à laver une voiture à l'arrière et il n'avait rien remarqué. Dans l'ascenseur, Wexford fit observer à Burden qu'il était regrettable que les enfants ne fussent pas autorisés à jouer sur les pelouses; en l'occurrence, ils auraient protégé Karen – ou du moins, servi de témoins. Il y avait un grand nombre d'enfants dans ce nouveau lotissement, occupé essentiellement par de jeunes couples.

A quatre heures moins le quart, alors qu'elle ramenait son fils de l'école, Mrs. Louise Pelham était passée à quelques mètres du landau de Karen. Elle avait jeté un coup d'œil sur le bébé, comme elle le faisait toujours, et se rappelait l'avoir trouvé « bizarre ». Il lui avait semblé, en effet, que ce bébé-là était plus roux et plus dodu que celui qu'elle avait vu une demi-heure auparavant en allant chercher son fils. Wexford crut tout d'abord que ce témoignage donnait de précieuses indications sur l'heure de la substitution, jusqu'au moment où il apprit que Susan Rains avait vu Mrs. Pelham avant lui et lui avait raconté toute l'histoire en détail.

Susan Rains et sa sœur Pippa s'étaient toutes deux mariées à dix-huit ans; mais Pippa, à vingt ans, était déjà mère de famille alors que Susan, son aînée de sept ans, n'avait pas d'enfants. Elle n'avait pas non plus de travail et menait la vie étriquée d'une consciencieuse ménagère férue de commérages. Elle se fit un devoir de dire à Wexford et à Burden que, à son avis, sa sœur était beaucoup trop jeune pour avoir un enfant, son beau-frère beaucoup trop jeune pour être père, et tous les deux beaucoup trop inconscients pour s'occuper d'un bébé. D'ailleurs, à l'en croire, Pippa se déchargeait toujours sur elle de Karen. Wexford, qui s'était étonné de voir dans la cuisine immaculée une cuiller en plastique et un biberon de jus d'orange, en comprit alors la raison.

– Aimez-vous les bébés, Mrs. Rains ? demanda-t-il.

Le visage de Susan Rains se creusa de rides amères et ses yeux pâles étincelèrent.

– Je serais anormale si je ne les aimais pas.

Elle allait ajouter quelque chose mais elle fut interrompue par l'arrivée d'une femme d'une quarantaine d'années, qu'elle présenta – du bout des lèvres – comme étant sa mère. Mrs. Leighton était enjouée et ne paraissait pas trop inquiète.

– Bah ! dit-elle, ce genre d'affaire se termine toujours bien, n'est-ce pas ?

Ses cheveux était d'un roux plus vif que ceux de sa fille, mais ils étaient visiblement teints. Elle expliqua qu'elle était sur le point d'aller chez son fils et sa belle-fille pour garder leur fils de six mois et qu'elle était juste passée voir Pippa pour se faire rembourser une note de teinturier. Imaginez son émotion en trouvant l'appartement envahi de policiers, et Pippa en larmes ! Franchement, elle trouvait que Trevor ou Susan auraient pu lui téléphoner pour la prévenir. Maintenant, elle ne savait plus si elle devait aller garder le petit Mark comme prévu ou rester avec Pippa.

– De toute façon, nous la retrouverons bientôt, n'est-ce pas? dit-elle à Wexford.

Wexford lui répondit qu'il allait s'y employer. Après quoi, il laissa les deux femmes discuter entre elles de ce qui était le plus important : tenir la promesse faite au fils ou compatir à l'angoisse de la fille.

Il ne lui restait plus grand-chose à faire ce soir-là, sinon débattre encore une fois avec Burden la question du mobile. Burden avança plusieurs hypothèses bizarres, parmi lesquelles celle-ci : la kidnappeuse était peut-être une femme qui devait faire vacciner le lendemain son bébé contre la scarlatine; ayant lu dans les journaux que cela pouvait entraîner des lésions cérébrales – mais n'osant pas refuser la vaccination –, elle avait alors décidé de remplacer son bébé par un autre.

– L'ennui avec les gens imaginatifs, dit Wexford, c'est que quand ils commencent à faire travailler leur imagination, rien ne peut plus les arrêter. Donc, selon vous, voilà une femme qui veut préserver son fils d'éventuelles lésions cérébrales qui ont une chance sur un million de se produire, et qui n'hésite pas à l'abandonner aux mains d'inconnus qui pourraient lui faire encore bien plus de mal!

– Non, justement! Parce qu'elle savait qu'ils le traiteraient convenablement. Elle avait prévu qu'ils remettraient le bébé aux autorités.

Après avoir attendu en vain une manifestation d'enthousiasme de son supérieur, Burden rentra chez lui. Pas pour longtemps : trois heures plus tard – à onze heures – il était appelé au poste de police.

Mais pas à cause de Karen Bond.

Dans des circonstances ordinaires, le sergent Willoughby, ayant terminé son service, n'aurait pas accordé un second regard à la Ford Transit garée au milieu des buissons, à l'entrée de Ploughman's Lane. Mais le sergent, comme la plupart de ses collègues du Sussex, avait dans la tête cette histoire de bébé disparu. Il se rappela les contes de son enfance, ces sombres histoires de bébés volés par des bohémiennes, et la camionnette lui parut le substitut idéal d'une caravane de romanichels. Il gara donc son scooter et alla y regarder de plus près.

Le jeune homme qui était au volant mit le contact, passa la première et démarra dans un rugissement de moteur. La camionnette passa à moins d'un mètre du sergent Willoughby éberlué et fila dans le sentier en direction de la ville.

Le sergent rentra chez lui aussi vite qu'il le put pour téléphoner à la police.

Mais il s'avéra que la Ford Transit n'avait rien à voir avec Karen Bond : c'était le « véhicule de repli » de deux cambrioleurs qui avaient profité de l'absence d'un riche agent de change de Kingsmarkham pour emporter son coffre-fort.

Ploughman's Lane était le coin des milliardaires de Kingsmarkham. La maison de Stephen Pollard n'était certainement ni la plus petite ni la plus modeste de toutes : c'était un palace des années trente, en brique rouge, avec des cheminées compliquées de style neo-Tudor. Toutes les fenêtres du rez-de-chaussée étaient munies de barreaux mais il n'y en avait pas à la porte-fenêtre du salon, qui s'ouvrait sur un vaste balcon. Une fois sur les lieux, Burden et Loring purent constater que les deux hommes étaient grimpés sur le balcon et avaient soigneusement découpé la vitre avec un diamant, sans se préoccuper des serrures anti-vol.

A l'aide d'un ciseau à froid, les cambrioleurs avaient retiré le coffre-fort de la niche dans laquelle il était encastré, puis ils l'avaient emporté. Il devait être extrêmement lourd, ce qui expliquait la nécessité d'une camionnette à proximité.

Le temps était sec mais il venait juste d'y avoir une petite chute de pluie. Deux paires d'empreintes, très nettes – l'une de pointure quarante-cinq, l'autre de pointure quarante-deux – étaient visibles sur les plates-bandes au-dessous du balcon. Ces mêmes empreintes traversaient la pelouse jusqu'à la grille en fer forgé, accompagnées de deux profonds sillons parallèles distants d'une cinquantaine de centimètres.

– Ils devaient avoir un de ces chariots qui servent à porter les bagages, dit Burden. Diablement astucieux!

Loring alluma sa torche.

– Ils ont déposé le coffre ici, monsieur, devant la grille. Ils ont dû faire une drôle de tête en s'apercevant que leur camionnette avait disparu!

Ils fouillèrent avec attention le sentier et les buissons avoisinants, en vain : ils ne retrouvèrent pas le coffre, pas plus qu'ils ne relevèrent d'empreintes dans la bibliothèque de la maison. Les cambrioleurs avaient opéré avec des gants.

– En tout cas, dit Burden le lendemain matin, Grands Pieds aurait mieux fait de porter des bottes. Il ne doit pas y avoir beaucoup de truands avec de pareils nougats.

– J'ai tout de suite pensé à Lofty Peters, dit Wexford, mais il est sous les verrous.

– Plus maintenant. Il en est sorti la semaine dernière. Mais nous l'avons tiré du lit à minuit et il ne fait aucun doute qu'il a passé toute la soirée chez lui. Il était complètement saoul, presque inconscient. A mon avis, les cambrioleurs sont venus de Londres. Le vieux Pollard n'arrêtait pas de vanter dans toute la City les diamants de sa femme, ça devait arriver un jour!

– La camionnette était un véhicule volé. J'ai eu tout à l'heure un coup de fil du superintendent de Myringham. On l'a retrouvée dans un fossé à la lisière d'un bois, sans plaques d'immatriculation.

Burden se pencha par la fenêtre et regarda les géraniums dans la cour principale. Les stores rayés des magasins se déroulaient lentement, les camions de livraison sortaient, le soleil de juillet dispensait sa chaleur et sa lumière sur la route de Pomfret. Et, sur la route, marchait vivement une petite silhouette, vêtue de noir malgré la saison.

– Pas possible, dit Burden. Encore un?

Wexford se leva et le rejoignit à la fenêtre. Le petit homme en soutane noire était maintenant dans la cour et marchait entre les parterres de géraniums. Il tenait dans ses bras un bébé emmitouflé dans des couvertures. Il le portait avec assurance, comme on pouvait s'y attendre de la part d'un homme qui administrait souvent le sacrement du baptême. Wexford observa le prêtre en silence jusqu'à ce qu'il disparaisse par les portes battantes du poste de police.

– Si ça se trouve, Mike, dit-il d'une voix pensive, c'est la dernière fantaisie à la mode. Certains hommes échangent leurs femmes, maintenant les mères vont échanger leurs bébés! Un nouveau petit jeu pour les ménagères qui s'ennuient et ne veulent pas suivre les cours du soir ni passer leur journée à tricoter.

– A moins qu'il n'y ait dans les parages un déséquilibré qui s'amuse à intervertir les bébés pour que les mères ne s'y retrouvent plus.

Les deux policiers descendirent dans le hall par l'ascenseur.

– Bonjour, mon Père, dit Wexford. Qui nous amenez-vous là?

Le curé de l'église catholique Notre-Dame de Grâce était accoudé au comptoir en forme de parabole derrière lequel siégeait le sergent Camb. Le bébé endormi dans ses bras était étroitement enveloppé dans une couverture bleu pâle; on ne voyait que son petit visage, rose et délicat, et une main minuscule. Le père Glanville interrompit sa conversation avec le sergent pour adresser à Wexford un sourire perplexe, tandis que Polly Davies caressait les doigts du bébé.

– Je n'en sais pas plus que vous, Mr. Wexford, répondit-il. En rentrant au presbytère après avoir dit la messe de neuf heures, j'ai trouvé cet enfant sur le perron. Ma gouvernante, Mrs. Bream, était entrée par la porte de service et ne l'avait même pas remarqué.

– Vous l'avez trouvé exactement ainsi? demanda Wexford. Enveloppé dans cette couverture sur les marches du perron?

– Non, naturellement. Il était dans une boîte en carton, du genre de celles que l'on voit dans les supermarchés. Il y avait marqué dessus *Chips Smith, prêtes à consommer, dix paquets familiaux.* – Il ajouta avec anxiété : – Malheureusement, je n'ai pas pensé à l'apporter.

Wexford ne put s'empêcher de rire.

– Ce n'est pas grave. Mais ne la jetez pas, c'est un indice qui peut se révéler important. – Il s'approcha du bébé, qui continuait à dormir sans se préoccuper de ce qui se passait autour de lui. – Etes-vous venu ici directement avec lui? Au fait, est-ce un garçon ou une fille? La couverture bleue ne suffit sans doute pas à prouver que c'est un garçon.

Pour quelque obscure raison, les trois hommes tournèrent en même temps leurs regards vers Polly Davies. Et la jeune femme, comme si elle considérait que cette tâche lui incombait d'office, prit le bébé dans ses bras avec précaution et commença à défaire la couverture. Le bébé se réveilla et se mit aussitôt à gémir. Polly remit la couverture, l'épingla et serra le bébé contre sa poitrine.

– C'est une petite fille, monsieur, annonça-t-elle d'une voix un peu enrouée. C'est certainement Karen Bond, ne pensez-vous pas? – Elle sentit avec consternation les larmes lui monter aux yeux. – Dire que quelqu'un l'a abandonnée sur une marche, dans une boîte en carton!

– Ma foi, en l'occurrence, on aurait difficilement pu trouver un meilleur endroit, pas vrai? dit Wexford en souriant au prêtre. Allons, constable Davies, votre réaction est indigne d'une femme libérée! Reprenons nos esprits et allons téléphoner à Mrs. Bond.

Trevor et Pippa Bond arrivèrent ensemble au poste de police, conduits cette fois encore par Susan Rains. Le jeune mari, craignant que le bébé ne fût pas Karen et que cette démarche se soldât par un faux espoir, avait tenté de persuader sa femme de ne pas venir. Mais elle l'avait accompagné malgré tout; rien n'aurait pu l'en empêcher, pas même les sédatifs du Dr Moss.

Lorsqu'elle vit le bébé, son expression hébétée disparut et ses yeux retrouvèrent instantanément tout leur éclat : elle le saisit dans ses bras et le pressa contre elle avec une telle frénésie que Karen protesta avec toute l'énergie de ses neuf semaines. Un peu en arrière, Susan Rains observait la scène d'un air impassible. Pippa jeta la couverture par terre avec une moue dégoûtée et se mit à examiner fiévreusement la barboteuse blanche et les petits chaussons, comme à la recherche de microbes visibles à l'œil nu.

– Tu n'as qu'à tout brûler, dit sèchement Susan. Comme ça, tu n'auras pas de souci à te faire.

Trevor Bond bredouilla d'un air embarrassé :

– Merci... merci beaucoup. Maintenant, je vais ramener mes femmes à la maison, et puis je retournerai au bureau. On a toujours du pain sur la planche, à cette époque de l'année...

– Je vais les raccompagner, Trev, dit Susan. Toi, retourne travailler. Je me charge de téléphoner à maman.

– Si j'étais vous, intervint Wexford, je ferais examiner Karen par le Dr Moss. Elle a l'air en parfaite santé, mais mieux vaut ne pas prendre de risques.

Après leur départ, Wexford, sans savoir pourquoi, se mit à penser au jeune Poil de Carotte, ce bébé abandonné qui attendait une mère à Bystall Lane. Il ramassa la couverture – celle de Poil de Carotte? – et l'examina attentivement. C'était une couverture en pure laine, fabriquée au Pays de Galles; elle était vieille mais propre et elle avait été raccommodée dans un coin par quelqu'un qui ne s'y entendait pas beaucoup en couture. Wexford préleva dessus une quantité de cheveux. La plupart étaient des cheveux de bébé, très fins, d'un roux doré, mais il y en avait d'autres, plus longs, qui appartenaient visiblement à une femme. Une femme rousse.

Il en était là de ses réflexions lorsqu'on frappa à la porte.

– Entrez! cria-t-il.

Le sergent Willoughby passa la tête dans l'entrebâillement, puis s'avança timidement dans la pièce. Burden était derrière lui.

– Monsieur... dit Willoughby. Le jeune gars qui était au volant de la camionnette, cette nuit... Il me semblait bien l'avoir déjà vu quelque part. Maintenant, je me rappelle. C'était Tony Jasper, monsieur. J'en suis certain.

– Suis-je censé savoir qui est Tony Jasper?

– Vous connaissez son frère, intervint vivement Burden. C'est le frère de Paddy Jasper.

– Paddy Jasper est dans le nord.

– C'est possible, dit Burden, mais sa petite amie est revenue s'installer ici. Leilie Somers, vous savez? Elle vit plus ou moins avec lui depuis des années, depuis qu'elle a quitté l'école de Stowerton à l'âge de seize ans.

– Savez-vous où elle habite?

– L'un des appartements au-dessus des boutiques de Roland Road, répondit Burden.

Roland Road était une rue de Stowerton parallèle à High Street. Le chauffeur de Wexford y conduisit les deux policiers. Pendant le trajet, en regardant par la vitre, Wexford vit la mère de Pippa Bond qui faisait du lèche-vitrines en poussant un landau plus grand que celui de Karen et d'une belle couleur verte. Mrs. Leighton promenait son petit-fils. Elle portait une robe vert sombre – assortie au landau – et ses cheveux teints étaient plus roux que jamais.

La voiture tourna à gauche, puis à droite dans Roland Road. Il y avait là une rangée de boutiques – huit au total – surmontées d'un unique étage hérissé de toits pointus et dont la façade était ornée de poutres et de gros clous peints en vert. Wexford fit remarquer à Burden que la face de l'Angleterre urbaine et semi-rurale eût été radicalement changée

– pour le meilleur – si les architectes des années trente et quarante s'étaient inspirés du style géorgien et non du style élizabéthain. Sans lui répondre, Burden poussa une porte cochère coincée entre une agence immobilière et une épicerie et en franchit le seuil.

Le couloir était très sombre. Au pied de l'escalier, une jeune femme était en train de sortir un bébé d'un landau. Elle tourna la tête vers les nouveaux arrivants lorsque Burden alluma.

– Oh! bonjour, dit-elle, je ne vous avais pas vus. Puis-je vous être utile?

Burden eut une inspiration. Se rappelant le caractère de Leilie Somers, il dit :

– Nous cherchons Mrs. Jasper.

La fille comprit aussitôt de qui il s'agissait.

– Leilie habite au dernier étage, à droite.

Le bébé sur la hanche, elle gara le landau un peu plus loin, ramena la capote dessus et la fixa de chaque côté.

– Savez-vous si son mari est là?

– Je ne sais pas s'il est rentré. Je l'ai entendu partir ce matin à huit heures.

Il y avait deux portes en haut de l'escalier : une à gauche et une à droite. Burden frappa à celle de droite. Leilie Somers ouvrit immédiatement; de toute évidence, elle les avait entendus venir. Elle fit entrer les policiers en toute hâte : sa voisine montait l'escalier avec son bébé et Leilie Somers ne voulait pas lui montrer qu'elle recevait la visite de représentants de la loi. C'était une petite femme menue de vingt-huit ou vingt-neuf ans, avec un visage las et des cheveux teints au henné. Elle avait été pendant toute sa jeunesse la maîtresse d'un homme qui vivait de cambriolages et de rackets, et elle avait elle-même connu la paille humide des cachots. Mais elle n'en était jamais arrivée à adopter avec la police – comme tant d'autres femmes – une attitude insolente ou agressive. Elle se montrait toujours très polie, timide et réservée.

– Ainsi, vous voilà de retour au bercail, Leilie, dit Wexford.

Elle inclina la tête avec un sourire nerveux.

– Et Paddy aussi, j'imagine, ajouta Wexford.

– Seulement de temps en temps, répondit-elle. On ne peut pas vraiment dire qu'il *habite* ici.

– Que dire, alors? Qu'il vient pour les vacances?

Leilie ne répondit pas. Apparemment, l'appartement se composait d'un living-room, d'une chambre à coucher, de W.C. et d'une cuisine avec un coin-douche. Ils entrèrent dans le living-room. Les meubles étaient laids et de mauvaise qualité mais la pièce était très propre : les murs et les boiseries avaient été fraîchement repeints en blanc. Une légère odeur de peinture flottait encore dans l'air.

– Il était ici cette nuit, reprit Wexford. Il est parti ce matin vers huit heures. Quand doit-il rentrer?

Au fond de lui-même, Wexford était persuadé que Leilie Somers – qu'il connaissait bien – n'aurait pas demandé mieux que d'être débarrassée de son amant. Un lien qu'elle ne pouvait rompre – amour ou force de l'habitude – la rattachait à Paddy Jasper mais elle serait grandement soulagée le jour où des circonstances extérieures viendraient les séparer. D'ici-là, néanmoins, elle se montrerait avec lui d'une loyauté sans faille.

– Pourquoi vous voulez le voir?

Wexford répondit à cette question par une autre question :

– Où était-il hier soir?

– Ici. Il avait invité deux copains à venir jouer aux cartes.

– Y avait-il également son petit frère Tony, par hasard? s'enquit Burden.

Leilie se mit à contempler le tapis, puis le plafond, puis elle regarda par la fenêtre avec une telle attention qu'on aurait pu croire que le Concorde – sinon une soucoupe volante – passait par là en cet instant.

– Allons, Leilie, vous connaissez certainement Tony, ce charmant garçon qui a fait deux ans pour avoir agressé une vieille dame dans le Smoke.

Elle répondit d'un ton détaché, en regardant ses ongles :

– Evidemment, que je connais Tony. Je crois qu'il était là aussi, mais je n'en suis pas sûre : j'étais à mon travail. – Sa voix se raffermit et elle leva le menton. – J'ai un emploi le soir à *L'Andromède;* je m'occupe des toilettes entre huit heures et minuit.

*L'Andromède* était ce que Wexford appelait un signe des temps. C'était le casino de Kingsmarkham, une boîte de jeu aménagée dans une maison de style victorien sur la route de Sewingbury. Wexford allait demander à Leilie pourquoi elle avait renoncé à son emploi à plein temps – lors de leur dernière rencontre, elle était manucure chez Mr. Nicholas, le coiffeur – pour prendre un travail le soir, quand son regard tomba sur un objet posé sur la cheminée : un biberon où il restait encore un fond de lait.

– J'ignorais que vous aviez un bébé, Leilie, dit-il.

– Il est dans la chambre à côté.

Comme pour confirmer ses paroles, il y eut de l'autre côté de la cloison un faible gémissement, qui prit rapidement du volume. Elle tendit l'oreille, un petit sourire au coin de la bouche; puis, comme le cri s'amplifiait, elle éclata de rire, d'un rire inextinguible. Mais elle se mordit aussitôt la lèvre et reprit de sa voix normale, monotone :

– Paddy et les autres sont restés ici pour le garder. Ils ont été là toute la soirée.

– Je vois, dit Wexford. – Pour sa part, il était absolument convaincu que Paddy Jasper et ses amis étaient à Ploughman's Lane la veille au soir, en train de cambrioler la demeure de Stephen Pollard. – Je vois, répéta-t-il. – Dans la pièce voisine, le bébé continuait à hurler de toute la force de ses poumons. – C'est Paddy le père de l'enfant ?

Pour la première fois, Leilie manifesta quelque sécheresse :

– Rien ne vous autorise à me poser cette question, Mr. Wexford. Qu'est-ce que ça peut vous faire ?

En son for intérieur, il dut reconnaître qu'il n'en avait pas le droit. Ce n'était pas parce que quatre-vingt-dix-neuf pour cent des policiers l'auraient fait qu'il devait le faire lui aussi.

– En effet, dit-il, cela ne me regarde pas. Je m'excuse, Leilie. Vous devriez aller voir votre bébé, vous ne croyez pas ?

À cet instant précis, les cris cessèrent. Leilie Somers exhala un soupir. Dans l'appartement voisin, on entendit des pas et une porte qui se fermait.

– Nous reviendrons, dit Wexford en suivant Leilie dans le couloir.

La jeune femme entra dans la chambre et referma la porte derrière elle. Burden et Wexford sortirent de l'appartement.

– C'est son deuxième enfant, dit Burden tandis qu'ils descendaient l'escalier. Elle a déjà eu un enfant de Jasper il y a quelques années.

– Oui, je m'en souviens. Qu'est-il devenu?

– On le lui a retiré parce qu'elle le maltraitait. Vous ne le saviez donc pas? Non, c'est vrai : cela s'est passé pendant votre maladie, quand vous étiez en vacances. – Wexford n'aimait pas beaucoup qu'on assimile à des vacances le mois de convalescence qu'il avait pris après son infarctus, mais il ne protesta pas. – J'ai trouvé incroyable, reprit Burden avec sévérité, que vous lui fassiez vos excuses comme si c'était une femme honnête et respectable! Leilie Somers est une mère capable de battre son enfant, de l'envoyer à l'hôpital avec une fracture du crâne et un bras cassé. Et qu'est-ce qu'elle a récolté pour cela? Une condamnation avec sursis et le conseil de suivre un traitement psychiatrique!

– Qu'est devenu l'enfant?

– Il a été adopté. Il est resté très longtemps à l'hôpital, et à sa sortie il a été confié à une autre famille – avec l'accord de Leilie. C'était le mieux pour lui.

Wexford inclina la tête d'un air rêveur.

– Etrange, dit-il. Elle m'a pourtant toujours fait l'effet d'une personne douce et patiente. Je peux l'imaginer ne sachant pas se débrouiller avec un bébé, mais de là à le battre... Cela ne lui ressemble pas.

Après avoir envoyé Loring surveiller l'appartement de Roland Road, il alla déjeuner avec Burden à la cantine du poste de police. Alors qu'il dégustait son dessert, Polly Davies s'approcha de l'inspecteur-chef et lui annonça :

– Je suis allée voir le jeune Poil de Carotte à Bystall Lane, monsieur. Ils m'ont demandé si nous avions prévu d'autres arrangements ou s'ils devaient encore le garder.

– Bon sang, cela ne fait même pas vingt-quatre heures qu'ils l'ont!

— C'est ce que je leur ai dit, monsieur. Mais j'ai l'impression qu'ils sont à court de personnel.

— Nous aussi, rétorqua Wexford. Dites-moi, je suppose que personne n'a été témoin de l'arrivée de Karen Bond sur le perron du presbytère?

— Je crains que non, monsieur. En tout cas, personne ne s'est présenté. Mrs. Bream, la gouvernante du prêtre, déclare que la boîte en carton était sur le seuil quand elle est arrivée à neuf heures mais qu'elle n'a pas regardé dedans sur le moment. Elle s'est dit que quelqu'un l'avait laissée là pour le père et qu'elle la prendrait après avoir fait la vaisselle et nettoyé la chambre. Le père Glanville, de son côté, déclare que la boîte n'était pas là quand il est parti à neuf heures moins dix. Donc, on l'a apportée dans l'intervalle de ces dix minutes. A croire que la personne connaissait les habitudes du prêtre et de Mrs. Bream, pas vrai, monsieur?

— L'une de ses paroissiennes, vous voulez dire?

— Pourquoi pas?

— Si vous avez raison, repartit sèchement Wexford, la personne en question doit être en ce moment en train de se confesser et le père Glanville sera tenu par le secret.

Son déjeuner terminé, il regagna son bureau pour attendre des nouvelles de Loring. Tandis qu'il restait là à réfléchir, il se rappela avoir remarqué chez Susan Rains, bien en évidence dans une niche aménagée à cet effet, une statuette en plâtre de la vierge avec un bouquet de lis dans les bras. Peut-être les Leighton étaient-ils catholiques? Au moment où il s'apprêtait à retourner à Greenhill Court pour avoir un nouvel entretien avec Susan Rains, le sergent Camb l'appela du hall pour le prévenir de la visite de Stephen Pollard.

L'agent de change et sa femme étaient partis à six

heures du matin de Glasgow, où ils passaient leurs vacances, pour faire d'une traite les huit cents kilomètres du trajet de retour jusqu'à Kingsmarkham. Quoique fatigué par la route qu'il venait de faire, Pollard se livra à une violente diatribe contre cette police incapable de veiller sur les biens des honnêtes citoyens. Il expliqua ensuite que le coffre renfermait un saphir, un collier et un bracelet en platine, quatre alliances, trois broches et une croix incrustée de diamants, d'une valeur d'au moins trente mille livres. Non, personne ne savait qu'il avait chez lui un coffre rempli de bijoux. Enfin, presque personne... sauf, peut-être, la femme de ménage – et celle qui l'avait précédée –, les jeunes filles au pair qu'ils avaient hébergées successivement, les ouvriers qui avaient peint l'extérieur de la maison, et aussi l'entreprise qui avait installé les barreaux aux fenêtres...

– C'est grotesque, maugréa Burden après son départ. Tout ce raffût alors qu'il est certain d'être remboursé par l'assurance! Il aurait aussi bien pu rester à Glasgow. C'est nous qui serons blâmés si les truands ne sont pas pris; pour lui, cela ne fera strictement aucune différence... – Emporté par sa rancune, il poursuivit d'un ton vengeur : – Et voulez-vous que je vous dise une autre chose tout aussi grotesque? C'est que les contribuables du Sussex vont probablement devoir payer l'éducation de Poil de Carotte jusqu'à sa dix-huitième année, tout ça parce que sa mère est trop effrayée pour venir le réclamer!

– Que voulez-vous que j'y fasse? Que je convoque de jeunes mères et que je leur dessine un cercle de craie?

Comme Burden écarquillait les yeux sans comprendre, Wexford reprit :

– N'avez-vous jamais entendu parler du cercle de craie chinois et du *Cercle de craie Caucasien* de Brecht? Vous dessinez un cercle de craie sur le sol et vous mettez l'enfant à l'intérieur; parmi toutes les mères qui le réclament, celle qui réussit à le sortir du cercle est sa véritable mère et peut le garder.

– Tout ça c'est parfait, dit Burden après un silence, mais en l'occurrence ce ne sont pas plusieurs mères qui le réclament; c'est *lui* qui en réclame une. Et pas une seule ne semble vouloir de lui.

– Pauvre Poil de Carotte, soupira Wexford.

Le téléphone sonna. C'était Loring qui annonçait que Paddy Jasper venait de monter dans l'appartement de Leilie Somers.

Le temps que Wexford et Burden arrivent à Roland Road, Tony Jasper était arrivé à son tour. Les frères Jasper étaient tous les deux grands et solidement bâtis, mais la silhouette de Tony avait encore l'aspect athlétique de la jeunesse alors que Paddy commençait à prendre de l'embonpoint. La belle prestance de Tony était cependant gâchée par un nez cassé qu'aucun médecin n'avait pu redresser et qui l'obligeait à respirer par la bouche, ce qui lui donnait un air sinistre – et même un peu repoussant. Paddy et lui étaient assis l'un en face de l'autre à la table du living-room; ils fumaient et Tony battait un jeu de cartes avec application. Wexford eut la conviction qu'ils avaient sorti le jeu en entendant sonner à la porte, pour se donner une contenance.

– Range-moi ces cartes, Tony, dit Paddy d'une voix traînante. C'est pas poli de jouer quand on a de la compagnie. – Il s'adressa à Wexford, avec une politesse nuancée d'insolence : – A ce que m'a dit Leilie, il paraît que vous voulez savoir où j'étais hier soir. A quelle heure, si vous pouvez préciser un peu?

Wexford le renseigna. Avec un sourire qu'il parvint presque à rendre affectueux, Paddy lui expliqua alors qu'il était venu passer quelques jours avec Leilie et son fils. Il n'avait pas beaucoup vu Matthew depuis sa naissance, à cause de ce boulot qu'il avait trouvé dans le nord – un bon job, mais impossible à concilier avec une vie de famille à peu près normale. Bref, en arrivant le samedi précédent pour passer ses vacances avec Leilie, il avait appris qu'elle s'était trouvé un boulot le soir à *L'Andromède*. Qu'à cela ne tienne : il avait été décidé qu'elle prendrait sa soirée du lundi pour rester avec lui et qu'elle permuterait avec une autre fille le mardi soir. Malheureusement, il n'y avait pas eu moyen de recommencer la veille; alors il lui avait dit de pas s'en faire, qu'il garderait le mioche lui-même et qu'il en profiterait pour inviter Tony et leurs vieux copains, Johnny Farrow et Pip Monkton, à faire une petite partie de poker.

– Ce que nous avons fait, Mr. Wexford, conclut-il.

– Exact, dit Tony.

– Leilie a couché Matthew et elle nous a préparé de quoi manger. Une brave fille, Leilie... Ensuite, elle est partie travailler vers sept heures et demie et nous, avec les copains, on a fait la vaisselle et on a joué aux cartes. Oh, j'oubliais : à un moment donné, la voisine est venue voir si quatre hommes majeurs et vaccinés étaient vraiment capables de surveiller comme il faut un bébé. Trop gentil de sa part, non? A onze heures et demie, Pip nous a quittés – c'est sa femme qui porte la culotte, vous comprenez — et à minuit et quart Leilie est rentrée. Elle était en avance parce qu'elle s'était fait ramener. Pas vrai, chou?

Leilie hocha la tête.

— C'est vrai, sauf que vous n'avez pas fait la vaisselle.

Wexford regardait fixement les grands pieds de Paddy Jasper, en se demandant ce qu'étaient devenues les chaussures qui avaient laissé leurs empreintes dans la terre de Ploughman's Lane. Sans doute étaient-elles brûlées. Quant aux restes du coffre-fort, ils devaient être dans un étang avoisinant ou dans la rivière. Johnny Farrow était un expert bien connu en explosifs. Wexford se tourna vers Leilie et lui posa une question à laquelle personne ne s'attendait.

— Qui s'occupe habituellement du bébé quand vous travaillez?

— Julie, ma voisine. La fille que vous avez vue la dernière fois. Avant, j'emmenais Matthew chez maman, qui habite Charteris Road, mais le soir il se mettait à hurler — et c'était encore pire si je l'emmenais à *L'Andromède* avec moi ou si je le laissais dans un endroit inconnu.

Pourquoi une réponse aussi détaillée? se demanda Wexford. Peut-être lui arrivait-il de laisser le bébé seul et craignait-elle d'enfreindre ainsi la loi. Il se rappela l'autre enfant, celui qui avait eu une fracture du crâne et un bras cassé, et il se durcit.

— Mais ensuite, reprit-elle, maman a dû aller à l'hôpital et elle n'en est sortie qu'hier. Alors Julie m'a dit de le laisser ici, qu'elle viendrait le voir toutes les demi-heures et que de toute façon elle l'entendrait s'il criait. A travers ces cloisons, on entend tomber une aiguille. Et Julie ne sort jamais, parce qu'elle a un bébé elle aussi. Elle a vraiment été très gentille de s'occuper de Matthew, parce qu'il pleure presque toujours le soir; et on ne peut pas les laisser crier sans rien faire, pas vrai?

– J'ai l'honneur de t'annoncer, ma chère, dit Paddy avec une insolente solennité, que mon fils n'a pas émis un son hier soir. Un vrai bijou...

Il prononça ce dernier mot en regardant Wexford avec un sourire mauvais.

Julie Land confirma que Paddy Jasper, Tony Jasper, Pip Monkton et Johnny Farrow étaient tous les quatre dans l'appartement quand elle était allée voir Matthew à huit heures et demie. Elle avait une clef de l'appartement mais elle ne s'en était pas servie, sachant que Mr. Jasper était là. Après tout, c'était l'appartement de Mr. Jasper et il était chez lui, n'est-ce pas? Elle avait donc sonné à la porte et c'était Mr. Jasper qui lui avait ouvert. Il s'était montré assez grossier, et elle avait été très gênée quand il lui avait dit : « Allez voir par vous-même si je ne suis pas capable de garder mon fils tout seul. » Il lui avait ouvert la porte de la chambre et elle avait juste jeté un coup d'œil sur le berceau, le temps de s'assurer que Matthew dormait normalement.

– J'étais tellement gênée, déclara Julie Lang, que je lui ai demandé s'il voulait récupérer sa clef. Il m'a dit que oui, qu'il n'aurait plus besoin de mes services, merci beaucoup et bonsoir. Il a été très désagréable, mais je me sentais vraiment coupable.

Elle avait donc rendu la clef à Paddy Jasper. Et, à sa connaissance, les quatres hommes étaient restés avec Matthew jusqu'au retour de Leilie à minuit et quart. Mais son mari était rentré entre temps et ils dormaient tous les deux à ce moment-là. Non, elle n'avait même pas entendu Pip Monkton rentrer chez lui à onze heures et demie. Enfin, elle était absolument sûre que Matthew n'avait pas crié, mais de toute façon elle ne l'aurait pas entendu avec le bruit de la télévision.

Wexford et Burden se rendirent chez Pip Monkton. Ils n'attachaient aucune importance au témoignage de Johnny Farrow, car l'homme avait un casier judiciaire chargé; mais Monkton, lui, n'avait jamais été condamné et était inconnu des services de police. C'était un ancien patron de bistrot, apparemment tout à fait respectable; le seul point noir de sa vie sans histoire était son amitié bien connue pour Farrow, un ancien camarade de classe qu'il avait soutenu sans faillir pendant ses longs séjours en prison et ses périodes de vaches maigres. Si Monkton confirmait l'alibi des trois autres, Wexford n'aurait plus qu'à jeter l'éponge, et il le savait. Le juge et le jury croiraient Pip Monkton, tout comme ils croiraient Julie Lang.

Monkton regarda Wexford droit dans les yeux (ce qui convainquit l'inspecteur-chef qu'il mentait) et déclara sans ciller que les frères Jasper, Johnny et lui avaient passé la soirée à Roland Road à boire de la bière et à jouer au poker jusqu'à onze heures et demie. Wexford poursuivit l'interrogatoire au poste de police pour tenter de l'intimider, mais il n'y parvint pas. Visiblement, Monkton avait appris son texte par cœur; il le répétait indéfiniment, comme un disque rayé.

A six heures, Wexford alla interroger le directeur de *L'Andromède,* lequel, soucieux d'être dans les bonnes grâces de la police, répondit à ses questions avec la meilleure volonté du monde. De retour au poste, l'inspecteur-chef trouva Burden qui l'attendait pour lui faire part d'un renseignement intéressant : Monkton avait récemment fait ajouter une aile à sa maison; il avait pris une seconde hypothèque pour couvrir les frais, mais ceux-ci s'étaient élevés à trois mille dollars de plus que l'estimation de l'architecte.

– Ces trois mille dollars représentent sans doute la récompense de Monkton pour son faux témoignage, déclara Burden. Sa part, en quelque sorte. Tony a conduit la camionnette, Paddy et Johnny ont fait le gros boulot, et pendant ce temps-là Monkton fournissait un alibi à tout ce beau monde. Ils ont dû quitter l'appartement de Leilie vers neuf heures et arriver à Ploughman's Lane un quart d'heure plus tard. Il leur aura fallu une heure pour desceller le coffre, ce qui les mettait à la grille vers dix heures et demie – heure à laquelle Willoughby a repéré la camionnette. Tony a décampé, et il est retourné à Stowerton par le dernier bus, après avoir abandonné la camionnette à Myringham. Dieu sait comment les autres s'y sont pris pour emporter le coffre! A mon avis, ils se sont contentés de le cacher dans les buissons, derrière Ploughman's Lane; puis ils y sont retournés ce matin, dans la voiture de Farrow, et Johnny l'a fait sauter.

Wexford, qui était resté silencieux jusqu'à présent, s'enquit d'un ton rêveur :

– Quand Leilie Somers a été condamnée pour les mauvais traitements infligés à son bébé, a-t-elle plaidé coupable ou non coupable?

Un peu surpris par cette question intempestive, Burden répondit :

– Coupable. Il n'y avait pas beaucoup de témoignages, à part celui du médecin. Elle a argué du fait qu'elle était déprimée et ne supportait pas les cris du bébé. Vous parlez d'une excuse!

– Une fichue excuse, en effet, dit Wexford. Les

cloisons de ces appartements sont très minces, n'est-ce pas? A tel point qu'on peut entendre une épingle tomber de l'autre côté... – Il s'absorba un moment dans ses pensées. – Quel était le nom de jeune fille de la mère de Leilie?

– *Quoi?* s'écria Burden. Comment diable voulez-vous que je le sache?

– Je ne serais pas étonné que ce soit un nom irlandais. Parce que Leilie est probablement le diminutif d'Eileen, qui est un prénom irlandais.

– Puis-je savoir où tout cela est censé nous mener? dit Burden avec une pointe d'impatience.

– Certainement. Cela va mener les frères Jasper et Johnny Farrow en prison. Vous pouvez d'ores et déjà aller procéder à l'arrestation à Roland Road.

– Mais bon sang, vous savez aussi bien que moi que c'est impossible! Monkton leur fournira un alibi en béton.

– Ne vous en faites pas, dit Wexford, laconique. Il n'y a pas d'alibi. Vous pouvez y aller en toute confiance. De mon côté, je vais me consacrer avec Polly au jeune Poil de Carotte et au cercle de craie de Kingsmarkham.

Il était huit heures et il faisait encore jour. Wexford laissa Polly dans la voiture et appuya sur la sonnette qui avait fait descendre Leilie en début d'après-midi. Comme personne ne venait, il appuya sur l'autre. Julie Lang apparut.

– Leilie est dans tous ses états, dit-elle. Je lui ai dit de venir prendre une tasse de thé chez moi.

– Je voudrais la voir, Mrs. Lang. Et j'ai besoin de la voir seule. Je vais retourner m'asseoir cinq minutes dans ma voiture, et puis...

Il fut interrompu par la voix de Leilie Somers, du haut de l'escalier :

– Vous pouvez monter. Ça va mieux maintenant.

Wexford gravit les marches à sa rencontre, suivi de Julie Lang. Leilie s'effaça pour le laisser passer. Elle semblait plus petite, plus menue, plus humble que jamais. Ses cheveux teints au henné étaient d'un roux pâle à la racine. Son visage était blême et elle avait l'air profondément triste. Julie Lang lui étreignit le bras et rentra vivement chez elle. Leilie ouvrit la porte de son appartement et resta sur le seuil à contempler les pièces vides, bien rangées, les portes ouvertes donnant sur les autres pièces : le tableau était encore plus mélancolique maintenant, avec le crépuscule. Des larmes perlèrent à ses paupières; elle se détourna vivement afin que Wexford ne les voie pas couler.

– Il n'en mérite pas tant, Leilie, dit Wexford.

– Je sais parfaitement ce qu'il vaut. Mais n'espérez pas que je le trahirai, Mr. Wexford. Je ne dirai rien.

– Commençons déjà par nous asseoir. – Il se dirigea vers la table, dans le coin le plus clair, et s'installa dans le fauteuil où s'était assis Paddy Jasper. – Où est le bébé?

– Chez ma mère.

– N'est-ce pas une grosse charge pour une femme qui sort juste de l'hôpital? – Wexford regarda sa montre. – Dites-moi, vous allez être en retard à votre travail. A quelle heure commencez-vous, déjà? Huit heures et demie?

– Huit heures. Mais ce soir, je n'y vais pas. Je ne m'en sens pas le courage après ce qui est arrivé à Paddy. Mr. Wexford, vous feriez mieux de vous en aller. Je ne vous dirai rien. Si j'étais la femme de

Paddy, vous ne pourriez pas me faire témoigner contre lui; or j'ai fait pour lui davantage qu'une épouse n'en aurait fait.

– Je le sais, Leilie, dit Wexford. Je le sais très bien. – Il parlait d'une voix tellement chargée de sous-entendus qu'elle le regarda fixement, les yeux effrayés. – Leilie, reprit-il, une fois qu'on eut dessiné sur le sol le cercle de craie et qu'on eut mis l'enfant à l'intérieur, la femme qui l'avait élevé refusa de le retirer, parce qu'elle savait que cela lui ferait du mal. Et plutôt que de lui faire du mal, elle préférait qu'une autre l'ait à sa place.

– Je ne comprends pas de quoi vous parlez, dit-elle.

– Je crois que si. Cela s'apparente au fameux jugement de Salomon : deux femmes se disputaient un bébé dont chacune prétendait être la mère; le roi, pour les mettre d'accord, décida alors de faire couper le bébé en deux; mais la vraie mère, plutôt que d'accepter cela, préféra abandonner son enfant à l'autre femme... Vous avez plaidé coupable, au tribunal, pour de mauvais traitements que vous n'aviez jamais infligés à votre fils. C'était Jasper qui avait blessé l'enfant, et c'est Jasper qui vous a persuadée de vous accuser à sa place, parce qu'il savait que vous récolteriez une peine moins lourde que lui. Et ensuite, vous avez fait adopter le bébé – non parce que vous ne l'aimiez pas mais parce que, à l'instar de la femme du cercle de craie, vous préfériez le perdre plutôt que de le voir battre encore. N'est-ce pas vrai?

Elle le regarda, les yeux écarquillés, et elle esquissa un imperceptible hochement de tête. Wexford tendit le bras vers la fenêtre et l'ouvrit. Il fit un signe de la main, puis il referma la croisée. Leilie pleurait, sans même tenter d'essuyer ses larmes.

– Avez-vous été élevée dans la religion catholique? demanda Wexford.

– J'ai été baptisée, répondit-elle dans un murmure, mais il y a des années que je ne vais plus à la messe. Maman est catholique; Papa l'a épousée à Galway, son village natal, et il a dû promettre d'élever ses enfants religieusement. – Elle eut un sanglot étouffé. – Maintenant, Mr. Wexford, allez-vous en, je vous en prie. Je voudrais rester seule.

– J'en suis vraiment désolé, dit-il, car j'ai un visiteur pour vous. Un visiteur qui passera certainement la nuit ici.

Il alluma toutes les lumières : celles du living-room, celle du hall et celle au-dessus de la porte d'entrée. Puis il ouvrit la porte et Polly Davies pénétra dans l'appartement, le jeune Poil de Carotte dans les bras.

Leilie cligna des yeux à la lumière. Elle ferma les paupières et baissa la tête; puis elle la releva, ouvrit les yeux et se précipita vers Polly, manquant renverser Wexford au passage. Mais elle ne prit pas le bébé dans ses bras; elle resta simplement là à regarder Polly en tremblant. Puis, lentement, elle leva les mains et se mit à caresser les cheveux roux du bébé, avec une tendresse extrême.

– Matthew, murmura-t-elle. Matthew...

Le bébé était assis sur les genoux de Leilie. Il avait un peu grogné au début, mais maintenant il était parfaitement détendu et s'amusait avec les doigts de sa mère. Soudain, pour la première fois depuis qu'il le connaissait, Wexford le vit faire un sourire. Un joli sourire spontané, un sourire de contentement d'être de nouveau à la maison avec maman.

– Maintenant, dit Wexford, vous allez tout me raconter, n'est-ce pas, Leilie?

Elle était littéralement transfigurée. Il ne l'avait jamais vue si animée, si enjouée. Avec des petits gloussements de joie, elle faisait sauter Matthew sur ses genoux, le serrait contre son cœur, lui chuchotait des mots tendres à l'oreille.

– Allons, Leilie, vous l'avez récupéré sans qu'on vous demande des comptes, et c'est sacrément plus que vous n'en méritez. A votre tour de vous acquitter.

– Je ne sais par où commencer, soupira-t-elle.

– Par le commencement, c'est encore le plus simple.

– Le commencement... dit Leilie. Je suppose que cela remonte à l'adoption de Patrick, mon premier enfant. – Elle avait cessé de rire à présent; son visage était de nouveau empreint de mélancolie. – C'était il y a quatre ans. Paddy est parti dans le nord, et au bout d'un moment il m'a écrit pour me demander si je voulais le rejoindre. Sans très bien savoir pourquoi, j'ai dit oui. J'ai toujours dit oui à Paddy. Au début, tout s'est bien passé; et puis, au bout de deux ans, il s'est trouvé une autre fille. Moi, j'ai fait celle qui ne remarquait rien; je croyais qu'il finirait par se lasser d'elle. Mais je me trompais. Et je me sentais seule, si seule... Je ne connaissais personne là-bas; je n'avais personne à qui parler, et Paddy s'absentait souvent pendant des semaines. Alors je me suis mise à sortir avec d'autres gars, n'importe qui, juste pour avoir de la compagnie. – Elle s'interrompit pour installer Matthew plus confortablement sur ses genoux. – Quand j'ai su que j'étais enceinte, j'ai dit à Paddy que je ne voulais pas avoir l'enfant là-bas, que je retournais à la maison avec maman. Mais il m'a suppliée de rester, me promettant qu'il ne reverrait plus l'autre fille – et je l'ai cru. Finalement, je suis restée jusqu'à la naissance de Matthew. Peu après, j'ai appris qu'il recommençait à me tromper; alors cette fois, je suis partie et maman m'a trouvé cet appartement ici. Je sais ce que vous allez dire, Mr. Wexford!

– Je n'allais rien dire du tout.

– Vous l'avez pensé. Et puis après? C'est vrai : je serais incapable de vous dire qui est le père de Matthew, je n'en sais rien. Ce pourrait être Paddy, comme ce pourrait être une demi-douzaine d'autres. – Ses yeux lançaient des éclairs. Sa voix se fit féroce : – Et je suis heureuse de ne pas le savoir! J'en suis heureuse, vous m'entendez? Comme ça, Matthew est vraiment à moi.

– D'accord, d'accord, dit Wexford. Vous vous êtes donc installée ici avec Matthew et vous avez pris cet emploi à *L'Andromède*. Là-dessus, Paddy vous a écrit pour vous annoncer sa venue, et il est arrivé le samedi. Vous avez pris votre soirée du lundi pour être avec lui, et vous avez permuté avec une collègue pour vous libérer le mardi soir... nous en arrivons ainsi à mercredi, hier.

Leilie soupira. Elle paraissait soudain très lasse.

– Paddy m'a annoncé qu'il garderait Matthew le soir. Qu'il demanderait à Tony et à deux autres copains de venir, et qu'ils passeraient la soirée ici à jouer au poker. Moi, je lui ai dit de pas s'en faire, que je pouvais laisser Matthew à Julie; alors il s'est mis en colère et m'a répondu qu'il ne voulait pas confier son enfant à cette sale petite fouineuse et qu'il s'en occuperait lui-même. Mais je ne lui faisais pas confiance : je me rappelais ce qu'il avait fait à Patrick. Paddy devenait fou de rage quand le bébé pleurait et j'avais toujours peur qu'il le tue. Et si j'essayais de m'interposer, il me battait moi aussi. Et vous comprenez, Mr. Wexford, Matthew aussi pleure toujours le soir au moment de se coucher. Je savais qu'il se mettrait à crier vers huit heures et j'étais affolée à l'idée de ce que pourrait faire Paddy. Quand il est en rogne, il ne sait plus ce qu'il fait. Et il ne fallait pas compter sur Tony pour le calmer : il a peur de lui, comme tous les autres. Bref, j'étais complètement affolée. Je ne pouvais pas laisser Matthew à maman : elle venait tout juste de quitter l'hôpital après une sérieuse opération. Je ne pouvais pas non plus l'emmener à *L'Andromède;* je l'ai fait une fois et on me l'a reproché à n'en plus finir. J'avais beau me creuser la tête, je ne voyais aucun moyen de m'en sortir.

« Paddy est sorti vers les onze heures; il ne m'a pas dit où il allait et je ne le lui ai pas demandé. Je suis moi-même sortie peu après, en emmenant Matthew dans son couffin, et je me suis promenée au hasard en réfléchissant à ce que j'allais faire. J'ai dû parcourir pas mal de kilomètres comme ça, à me faire un sang d'encre, et tout à coup je me suis retrouvée sur la route de Stowerton. Je savais que j'allais bientôt devoir rentrer, parce que Matthew était mouillé et qu'il était l'heure de son biberon. C'est alors que j'ai vu le landau. Je connaissais vaguement la fille à qui il appartenait; je ne savais pas son nom ni rien, mais nous avions bavardé une fois en faisant la queue dans un magasin et nous en étions arrivées à parler de nos bébés. Elle m'avait expliqué que le sien – une petite fille – ne pleurait jamais, sauf parfois au milieu de la nuit pour réclamer sa tétée. C'était vraiment une enfant adorable, qu'on n'entendait pas de la journée ni de la nuit. Elle était sensiblement plus petite que Matthew, mais à part ça ils se ressemblaient beaucoup et avaient tous les deux les cheveux roux.

« C'est ça qui m'a donné l'idée : la même couleur de cheveux. C'était une folie, Mr. Wexford, je le sais bien; je me suis conduite comme une idiote. Mais vous ne pouvez pas savoir combien je craignais la réaction de Paddy. Je me suis approché du landau, j'ai pris le bébé et j'ai mis Matthew à la place.

Polly Davies, qui était restée silencieuse jusqu'à présent, eut une exclamation étouffée. Wexford secoua la tête avec sévérité.

– C'est curieux, dit-il d'un ton glacial. J'avais cru au début que la femme qui avait pris Karen Bond avait besoin d'une petite fille et voulait se débarrasser de son enfant. En réalité, c'était le contraire. Vous vous fichiez pas mal de ce qui pouvait arriver à Karen du moment que votre fils était en sécurité.

– Ce n'est pas vrai! s'écria Leilie avec ferveur.

– Peut-être pas, en effet. J'imagine que vous avez eu des scrupules. Mais continuez.

– J'ai donc mis Matthew dans le landau. Mais j'avais beau être sûre qu'il ne risquait rien, qu'on ne lui ferait pas de mal, ça m'a retourné le cœur quand il s'est mis à pleurer.

– Ne craigniez-vous pas qu'on vous voie? demanda Polly.

– Ça m'était égal; j'avais dépassé ce stade. Si on m'avait vue faire, je n'aurais pas eu besoin de retourner chez moi. J'aurais perdu mon emploi, mais au moins on ne m'aurait pas enlevé Matthew. En tout cas, personne ne m'a vue. Vous avez bien dit que le bébé s'appelait Karen? Eh bien, j'ai ramené Karen ici, je l'ai nourrie et je lui ai donné un bain. Je me suis occupé d'elle comme de mon propre enfant.

– Sauf que vous l'avez livrée sans défense à Paddy Jasper, cette brute enragée.

Elle frissonna légèrement mais ne releva pas cette remarque.

– Paddy est rentré à six heures avec Tony, poursuivit-elle. J'avais déjà couché Karen dans le lit de Matthew; on ne voyait que ses cheveux, du même rouge que ceux de Matthew. – Leilie releva la tête et se mit à parler plus rapidement. – J'ai préparé des œufs et des pommes de terre pour Paddy et les autres, et à sept heures et demie je suis partie. Et quand je suis rentrée, à minuit et quart, tout allait très bien. Karen dormait à poings fermés et elle n'avait pas pleuré de la soirée.

– N'avez-vous pas oublié quelque chose, Leilie? dit Wexford d'une voix douce.

Il lui sembla qu'elle pâlissait un peu.

– Eh bien... il ne reste plus grand-chose à raconter ensuite. Ce matin, Paddy est parti tôt, alors j'en ai profité pour restituer le bébé. J'ai trouvé que c'était une bonne idée de le porter au prêtre; je savais par maman à quelle heure il partait et à quel moment sa gouvernante arrivait. J'ai pris le bus pour Kingsmarkham et là, devant l'arrêt, j'ai vu plusieurs boîtes en carton entassées là pour les éboueurs. J'en ai pris une, j'ai mis Karen dedans et je l'ai laissée sur les marches du presbytère. Par contre, je ne savais pas comment faire pour récupérer Matthew; j'ai bien cru que je ne le reverrais jamais.

« Là-dessus, vous êtes venu me voir avec l'inspecteur Burden. Je vous ai dit que Matthew était dans la chambre et, juste à ce moment-là, le bébé de Julie s'est mis à pleurer et vous avez cru que c'était Matthew. Je n'ai pas pu m'empêcher d'éclater de rire, alors que j'étais complètement déprimée, à bout de résistance. Voilà toute l'histoire. Maintenant, vous pouvez m'inculper de ce que vous voudrez.

– Vous oubliez encore quelque chose, Leilie.

– Je ne comprends pas.

– Mais si, vous comprenez très bien. Pourquoi, à votre avis, ai-je fait arrêter Paddy, Tony et Johnny malgré l'alibi en béton que leur a fourni Pip Monkton? Pourquoi, à votre avis, suis-je tellement persuadé que Pip va passer aux aveux et me dire où est caché le contenu du coffre? J'ai eu cet après-midi une petite conversation avec le directeur de *L'Andromède,* Leilie.

Elle lui lança un regard dur.

– Alors comme ça, reprit-il, ils vous ont sacquée? Ils vous ont donné vos huit jours?

– Si vous savez tout, Mr. Wexford, pourquoi m'interroger?

– Parce que je veux que vous me disiez la vérité.

Elle murmura quelque chose à l'oreille de Matthew mais le bébé s'était endormi.

– Si vous ne voulez pas le faire vous-même, poursuivit Wexford, je vais m'en charger. Si jamais je me trompe, vous n'aurez qu'à m'arrêter. Hier soir, donc, comme vous l'avez dit, vous êtes partie travailler. Mais vous n'étiez pas tranquille du tout. Vous n'arrêtiez pas de penser à ce bébé, à cet autre bébé qui ne pleurait pas le soir. Vous vous demandiez ce qui se passerait si elle se réveillait pour se retrouver dans un endroit inconnu, sans sa mère. Et vous avez commencé à vous faire du souci. Pendant que vous accomplissiez les diverses tâches qui font partie de votre travail – nettoyer les cuvettes, remettre du papier dans les boîtes... – vous étiez folle d'inquiétude pour Karen. Vous redoutiez qu'elle se mette à pleurer et que Jasper lui cogne la tête contre les murs pour la faire taire. Au fond, Leilie, vous êtes une femme douce et aimante, même si vous êtes une idiote; et vous avez vite compris que votre idée d'échanger les bébés n'était pas si astucieuse que cela, car vous vous faisiez autant de souci pour Karen que vous vous en seriez fait pour Matthew.

– Et vous, vous êtes un démon, murmura-t-elle en regardant Wexford comme s'il était doué de pouvoirs surnaturels. Comment pouvez-vous connaître mes pensées?

– Je les connais, c'est tout. Je sais ce que vous avez pensé et je sais ce que vous avez fait. A neuf heures et demie, vous n'avez pas pu supporter plus longtemps cette incertitude. Vous avez enfilé votre manteau, vous avez couru pour attraper le bus de neuf heures trente-cinq et vous êtes arrivée chez vous à dix heures moins cinq. L'appartement était éclairé. Vous êtes entrée et vous êtes allée directement dans la chambre. Et Karen était là, saine et sauve, profondément endormie.

Leilie eut l'ombre d'un sourire en se remémorant la scène.

– Oui, dit-elle, c'est vrai, elle dormait et tout était normal. Quel soulagement, Seigneur! Moi qui m'attendais déjà à la trouver étendue par terre, couverte de sang...

– Il ne vous restait plus alors qu'à expliquer à Paddy pourquoi vous rentriez si tôt.

– Je lui ai dit que je ne me sentais pas bien, répondit-elle avec réticence. Que j'avais encore une de mes migraines.

– Ce n'est pas vrai, Leilie. Paddy n'était pas là.

– Comment ça? Bien sûr que si, il était là! Ils étaient là tous les quatre, Paddy, Tony, Pip et

Johnny, à jouer aux cartes. J'ai dit à Paddy : « Je suis crevée, je vais m'allonger un peu. » Et je suis allée m'étendre dans la chambre.

– Leilie... Quand vous êtes arrivée, l'appartement était vide. *Vide.* Vous savez pertinemment que Pip Monkton ment, et vous savez aussi que son histoire ne tiendra pas deux secondes quand vous aurez dit la vérité – à savoir qu'*à dix heures moins cinq cet appartement était vide.* Ecoutez-moi, Leilie. Avec cette affaire, Paddy va passer de longues années à l'ombre. Ce sera l'occasion pour vous et pour Poil... je veux dire, pour Matthew, de commencer une nouvelle vie. Vous ne voulez pas qu'il vous gâche toute votre existence, n'est-ce pas? Qu'il batte vos gosses? Répondez-moi, Leilie.

Elle se leva et se mit à faire les cent pas dans la pièce, en berçant Matthew comme s'il hurlait et qu'il fallait le calmer, alors qu'il dormait paisiblement. Finalement, elle s'arrêta devant Wexford et le regarda. Il se leva.

– Nous viendrons vous chercher demain matin, Leilie, et vous ferez une déposition au poste de police. Peut-être même deux : une pour l'enlèvement de Karen, l'autre pour certifier que Paddy n'était pas là à votre retour hier soir.

– Je ne certifierai rien du tout.

– Pourtant, si vous acceptiez, nous pourrions envisager de ne pas vous poursuivre pour l'enlèvement de Karen.

– Ça m'est bien égal!

Wexford n'avait plus qu'un seul argument. Il y eut recours à contrecœur.

– Une femme comme vous, Leilie, sachant ce que vous saviez sur le compte de Paddy, et qui n'a cependant pas hésité à laisser à sa garde un bébé, le bébé d'une autre femme... quel effet cela fera-t-il sur un jury, d'après vous? Quand ils sauront que vous avez repris la vie commune avec Paddy? Et quand ils verront votre casier judiciaire?

Livide, Leilie entoura Matthew de ses deux bras et le pressa convulsivement contre sa poitrine.

– Ils ne me l'enlèveront pas? Ils ne feraient pas ça!

– Ils le pourraient.

– Oh, mon Dieu... J'avais promis de rester fidèle à Paddy toute ma vie...

– Les promesses romantiques n'ont pas grand-chose à voir avec la vie réelle, Leilie. – Wexford s'écarta un peu et s'approcha de la fenêtre. Dehors, il faisait maintenant complètement noir. – Le patron de *L'Andromède* m'a dit que vous étiez retournée là-bas à dix heures et demie. Vous vous êtes absentée une heure et il y a eu des plaintes, c'est pourquoi on vous a renvoyée.

– Oui, j'y suis retournée, dit-elle fiévreusement. J'ai dit à Paddy que je me sentais mieux et...

– En l'espace de cinq minutes? Dix au maximum? Vous vous rétablissez promptement, Leilie. Voulez-vous que je vous dise pourquoi vous y êtes retournée? Voulez-vous que je vous dise ce qui vous a donné le courage de repartir? Ce que vous craigniez par-dessus tout, ce n'était pas tant de perdre votre emploi; c'était ce que Paddy pourrait faire au bébé. Si Paddy avait été là, vous ne seriez certainement pas retournée à *L'Andromède*. C'est *parce qu'il n'était pas là* que vous êtes repartie le cœur léger. Vous étiez persuadée qu'il ne pourrait pas rentrer dans l'appartement avant votre retour. Vous ignoriez à ce moment-là qu'il avait une clef, la clef que lui avait rendue Julie Lang.

Elle prononça enfin le mot qu'il attendait :

– Oui. Oui, c'est vrai. – Elle frissonna. – Si

120

j'avais su qu'il avait la clef, je ne serais pas repartie. Ç'aurait été abandonner le bébé dans la fosse aux lions.

— Il est temps de partir, dit Wexford. Venez, constable Davies. A demain matin, Leilie.

Serrant toujours Matthew dans ses bras, elle rejoignit le policier au moment où il atteignait la porte et posa une main sur son bras.

— J'ai bien réfléchi à ce que vous avez dit, Mr. Wexford. Sincèrement, je ne crois pas que je serais capable de retirer un bébé – *n'importe quel bébé* – de ce cercle de craie.

## LE TALON D'ACHILLE

Du haut des remparts de la ville, on voyait, d'un côté, l'immensité bleue de l'Adriatique et, de l'autre, un amas de toits recouverts de tuiles et des cataractes de rues pavées convergeant vers la cathédrale. Il faisait très chaud sur les remparts : le soleil tapait dur et il n'y avait pas un souffle d'air. Ça et là, entre les toits rougeâtres et le dédale de murs et d'escaliers, on apercevait différentes taches de couleur : la pourpre des bougainvillées, le mauve du plumbago et le jaune éclatant des narcisses sauvages.

– Magnifique! s'extasia Dora Wexford. Extraordinaire! Alors, Reg, regrettes-tu toujours d'être monté?

– C'est parfait pour ceux qui ont la peau mate, grommela son mari, mais pas pour les autres. J'ai le nez comme un œuf sur le plat.

– Nous descendrons par le prochain escalier et tu pourras te mettre un peu de crème en sirotant un verre de bière.

Il était midi en ce samedi 18 juin. La chaleur torride de cette journée avait éloigné des remparts les Yougoslaves, mais pas les touristes. Les Allemands se promenaient avec leurs appareils photo

122

en murmurant « Wunderschön! » Les Italiens jacassaient avec de grands gestes, indifférents au soleil de la mi-été. Cependant, la plupart des bribes de conversation qui parvenaient aux Wexford se déroulaient dans des langues non seulement incompréhensibles mais impossibles à identifier. C'est pourquoi ils furent tout surpris d'entendre soudain :

– Inutile d'insister, Iris!

Tout d'abord, ils ne virent pas celui qui parlait. Mais lorsqu'ils débouchèrent, au sortir de l'étroit défilé, sur une vaste plate-forme en saillie formée par le haut d'un contrefort, ils se retrouvèrent face à face avec l'Anglais, un jeune homme grand et blond accompagné d'une jeune fille brune. La fille tournait le dos aux Wexford et regardait la mer. D'après ses vêtements, on l'aurait mieux vue dans le Sud de la France que sur les remparts de Dubrovnik. Elle portait un corsage bain de soleil vert jade, qui dévoilait son dos très bronzé, et une jupe mi-longue en soie verte ornée de paraboles rose vif. Elle avait des sandales roses lacées autour des chevilles et dotées de hauts talons rectangulaires. Mais ce qui frappait chez elle, c'était sa coiffure. Ses cheveux, très noirs et très courts, étaient coupés sur la nuque en trois V bien nets.

Elle répliqua à son compagnon quelque chose que Wexford n'entendit pas; puis, sans se retourner, elle se mit à taper du pied. L'homme reprit :

– Mais enfin, Iris, comment diable veux-tu y aller? Nous n'avons personne pour nous emmener et il n'y a pas d'endroit où aborder. Je te demande instamment de renoncer à cette idée!

Dora prit son mari par le bras et l'entraîna vivement. Il comprit qu'elle ne voulait pas le voir se mêler à une querelle d'inconnus.

– Tu es tellement indiscret, mon chéri! dit-elle quand ils eurent atteint l'escalier et furent hors de portée d'oreille. Enfin, j'imagine que dans ton cas c'est de la déformation professionnelle...

– Je suis heureux que tu t'en rendes compte, rétorqua Wexford en riant. Toute autre femme aurait reproché à son mari de reluquer la fille.

– Elle était belle, n'est-ce pas? dit Dora avec mélancolie, consciente de son âge. Nous n'avons pas vu son visage, mais elle avait une parfaite silhouette.

– A part ses jambes. Elle aurait tout intérêt à se mettre en pantalon.

– Allons, Reg, ses jambes étaient irréprochables! Et elle avait un bronzage magnifique. Quand je vois une fille aussi ravissante, je me fais l'effet d'une vieille guenon.

– Ne dis pas de bêtises, la rabroua Wexford. Tu te défends très bien.

Il le pensait vraiment. Il était fier de sa séduisante épouse, d'aspect encore jeune à l'approche de la soixantaine, très élégante dans sa jupe bleu marine et son chemisier blanc, le visage déjà un peu hâlé après deux jours de vacances seulement.

– Et je vais te dire quelque chose, ajouta-t-il. Pour ce qui est des chevilles, tu la bats à plates coutures.

Dora lui sourit, réconfortée. Ils s'installèrent à la terrasse d'un café pittoresque et bien ombragé, le temps de prendre une bière et un jus d'orange; ensuite, ils reprendraient le bateau-taxi pour Mirna. En serbo-croate, *mirna* signifie paisible. Et Wexford appréciait infiniment la tranquillité de cette petite bourgade, surtout après un hiver et un printemps éreintants à Kingsmarkham et une affaire criminelle particulièrement sordide qui avait finalement été résolue, non par lui malgré tous ses efforts, mais par un jeune expert de Scotland Yard. C'était Mike Burden qui lui avait conseillé de prendre ses vacances sans plus attendre. Et il lui avait recommandé d'aller sur la côte de Dalmatie, en Yougoslavie, où il avait emmené ses enfants l'année précédente; cela changerait Wexford du Pays de Galles et des Cornouailles, où il allait généralement en été.

– Mirna... avait dit Burden. Il y a trois bons hôtels mais le village lui-même est parfaitement préservé. Et on peut aller partout en bateau : il y a deux ou trois types qui s'occupent de bateaux-taxis. En outre, il n'a pas plu une seule fois de tout notre séjour. Et puis du point vue écologique, c'est idéal : vous vous retrouverez en pleine nature. La faune marine est étonnante, ainsi, d'ailleurs, que les fleurs et les papillons.

Le surlendemain de la randonnée à Dubrovnik, Wexford décida justement de s'initier à la faune marine. Sachant que les bains de soleil n'étaient pas recommandés pour sa peau d'Anglo-Saxon, il laissa Dora allongée sur un matelas pneumatique au bord de la piscine, puis, après avoir enduit de crème son visage et enfilé une chemise à manches longues, il contourna la pointe boisée pour se diriger vers le port de Mirna. La jetée était construite dans la même pierre que la ville de Dubrovnik; en s'agenouillant pour regarder par-dessus, il vit que sous la surface de l'eau, les rochers et la maçonnerie étaient recouverts d'une épaisse couche d'anémones de mer, de coquillages minuscules, de coraux et d'astéries. L'eau était parfaitement claire, non polluée : il voyait distinctement le fond à cinq ou six mètres. A cet instant, un banc de poissons argentés émergea d'un buisson. Fasciné, Wexford se pencha : il comprenait à présent pourquoi tant de nageurs étaient équipés de lunettes protectrices et de schnorkels. Un poisson écarlate jaillit de derrière un rocher, suivi d'un autre, argenté avec des rayures noires.

Derrière Wexford, une voix s'enquit :

– Vous aimez?

Wexford se redressa. L'homme qui avait parlé était plus âgé que lui; maigre et tout ridé, il avait un visage tanné par le soleil, un sourire teinté d'ironie et des dents étonnamment blanches. Il portait une casquette de marin et un T-shirt à rayures bleues et blanches. Wexford le reconnut : c'était l'un des propriétaires de bateaux-taxis.

Il répondit lentement, en articulant bien :

– Oui, j'aime beaucoup. C'est beau, très joli.

– Les rivages de votre pays ont été ainsi autrefois. Mais au XIX$^e$ siècle, un certain Goose, un naturaliste, écrivit un livre à leur sujet; dès lors, les collectionneurs envahirent les lieux et dépouillèrent en quelques années les rochers de leurs richesses naturelles.

Wexford éclata de rire.

– Mazette! dit-il. Je vous demande pardon, mais je pensais...

– Qu'un vieux batelier était tout juste capable de dire : « S'il vous plaît », « merci » et « douze dinars »?

– En gros, oui. – Wexford se leva. Il dépassait l'autre homme de plusieurs centimètres. – Vous parlez un anglais remarquable.

– Non, trop pédant, répondit l'autre avec un large sourire. Je ne suis allé en Angleterre qu'une fois, il y a de nombreuses années. – Il tendit la main. – Enchanté, *Gospodine*. Ivo Racic à votre service.

– Reginald Wexford.

La main était dure comme l'acier mais l'étreinte était douce.

– Je ne veux pas vous importuner, dit Racic. Je vous ai parlé parce qu'il est rare de trouver un touriste qui s'intéresse à la nature. Pour la plupart, c'est uniquement les bains de soleil, la cuisine et les boissons, eh? Ou alors, la pêche aux coquillages...

– Allons prendre un verre, dit Wexford. Mais vous travaillez peut-être?

– Jopsi, Mirko et moi, nous formons un petit syndicat; ils ne m'en voudront pas si je prends une demi-heure de liberté. Mais c'est moi qui paie à boire. Je suis dans mon pays et vous êtes mon invité.

Ils remontèrent lentement l'avenue bordée de petits palmiers.

– Je suis né ici, à Mirna, expliqua Racic. A dix-huit ans, je suis parti pour l'université, et quand je suis revenu ici pour ma retraite, après plus de quarante ans, ces palmiers étaient exactement pareils, pas plus grands qu'avant. Rien n'a changé jusqu'à ce qu'on construise les hôtels.

– Qu'avez-vous fait pendant ces quarante années?

– J'étais professeur d'histoire anglo-saxonne à l'université de Beograd, Gospodin Wexford.

– Ah! voilà qui explique tout. Et à votre retraite, vous vous êtes associé avec Josip et Mirko pour les bateaux-taxis. Des amis d'enfance, peut-être?

– Exactement. Je vois que vous avez de la perspicacité. Puis-je à mon tour vous demander quel est votre métier?

Wexford fit à cette question la réponse qu'il faisait toujours lorsqu'il était en vacances :

– Je suis un fonctionnaire civil.

Racic sourit.

– Ici, en Yougoslavie, nous sommes tous des fonctionnaires civils. Mais allons boire nos verres. *Hadjemo,* de l'alcool!

Ils choisirent une table installée sous une tonnelle à travers laquelle filtraient sur le pavé les rayons du soleil. Racic commanda du *slivovic.* Wexford, à qui le cognac était interdit à cause de sa tension, reporta son choix sur un vin blanc appelé Posip; mais il se sentit malgré tout un peu coupable en voyant la grande timbale remplie à ras bord que le serveur posait devant lui.

– Vous habitez ici, à Mirna?

– Oui, seul dans la *kucica* qui fut autrefois la maison de mon père. Ma femme est morte à Beograd. Mais la vie est agréable. J'ai ma pension, mon bateau, le raisin de mon jardin, mes figues – et, parfois, un invité comme vous, Gospodin Wexford, avec qui pratiquer mon anglais.

Wexford aurait aimé le questionner sur le régime politique, mais il sentait que ce pourrait être imprudent, voire même discourtois. Il se contenta donc d'émettre une remarque inoffensive sur une femme en costume folklorique – coiffe blanche et robe noire ornée de broderies compliquées – qui sortait d'une épicerie avec un plein panier. Racic hocha la tête, puis pointa son pouce brun vers la terrasse ensoleillée.

– Je préfère celle-là, dit-il. Plus saine, non? Et plus libre.

Assise à une table en plein soleil, la jeune femme avait de courts cheveux noirs coupés géométriquement; elle était seulement vêtue d'un short blanc et d'un corsage bain de soleil vert jade. Elle se leva pour aller à la rencontre d'un homme qui sortait du bureau d'échange. Wexford reconnut alors le couple qu'il avait vu sur les remparts de Dubrovnik. Ils s'éloignèrent main dans la main et s'engouffrèrent dans une Lancia Gamma blanche garée sous les palmiers.

– La dernière fois que je les ai vus, dit Wexford, ils se disputaient.

– Ils sont descendus à l'*Hôtel Bosnia*, dit Racic. Ils sont arrivés en voiture de Dubrovnik samedi soir et ils vont rester une semaine. Je ne peux pas vous dire comment elle s'appelle, mais son prénom à lui est Philip.

– Puis-je vous demander comment vous êtes si bien renseigné, Mr. Racic?

– Ils ont pris mon bateau ce matin. – Les yeux sombres de Racic brillèrent de malice. – Juste eux deux, pour l'aller-retour à Vrt. Cela me rappelle une petite anecdote... Un jour, il y a environ deux ans, un jeune couple d'Anglais a loué mon bateau. Je pense qu'ils étaient en voyage de noces – leur lune de miel, comme vous dites – parce qu'ils étaient visiblement très amoureux. Ils n'avaient d'yeux que l'un pour l'autre et n'avaient aucune envie de bavarder avec le batelier. Vers le milieu de la traversée, le jeune mari a commencé à se montrer très tendre avec sa femme, lui disant qu'il était très impatient d'être de retour à l'hôtel pour lui faire l'amour. Oh, il était très franc, très explicite... et pourquoi pas, en la seule présence d'un vieux Yougoslave qui ne parlait que sa langue?

« Moi, je n'ai rien dit. Je suis resté parfaitement impassible. Quand nous sommes arrivés au débarcadère, il m'a payé mes vingt dinars et ils se sont éloignés. Alors je me suis aperçu que la jeune dame avait oublié son sac. Je l'ai appelée. Elle est revenue, a pris le sac et m'a remercié... Gospodin Wexford, je n'ai pas pu résister. Je lui ai dit :

« Vous avez un mari charmant, madame, mais vous le méritez amplement. » Si vous l'aviez vue! Elle est devenue toute rouge. Mais au fond, je pense qu'elle n'était pas mécontente. En tout cas, ils ne sont jamais remontés sur mon bateau!

– Ce n'est sans doute pas une conversation du même genre que vous avez surprise entre Iris et sa femme? dit Wexford en riant.

– Non, répondit Racic d'un air troublé. Mais je n'ai pas envie de vous en parler. Cela ne vous regarde pas. Je dois m'en aller maintenant, mais nous nous reverrons?

– Dans votre bateau, certainement. Je dois emmener ma femme se baigner à Vrt.

– Je vous propose mieux que ça. Amenez votre femme et je vous ferai faire le tour des îles. Mercredi, si vous voulez? Non, rassurez-vous, je ne cours pas après les clients. Pour employer une bonne expression familière, ce sera une tournée aux frais de la maison! Vous, moi et Gospoda Wexford.

– Ce charmant ménage allemand m'a proposé de nous emmener en voiture à Cetinje mercredi, annonça Dora.

– Hmm-hmm, fit Wexford d'un air absent. Bonne idée.

Il était neuf heures mais il faisait déjà très sombre au-delà de la ligne de lumières au bord de l'eau. Ils étaient allés à pied à Mirna après dîner – les bateaux-taxis ne fonctionnaient plus à cette heure – et ils prenaient leur café sur la terrasse d'un restaurant à proximité du port. A leurs pieds, l'Adriatique léchait les pierres avec un doux clapotis.

Soudain, Wexford se rappela.

– J'oubliais! Mercredi, je ne pourrai pas. J'ai promis à Racic – ce Yougoslave dont je t'ai parlé –

de faire avec lui le tour des îles. Ce ne serait pas poli de le décommander. Mais toi, vas à Cetinje.

– A dire vrai, cela me plairait. Je n'aurai peut-être pas d'autre occasion de voir Montenegro... Oh! regarde, mon chéri, le jeune ménage que nous avons vu à Dubrovnik.

Pour la première fois, Wexford vit la jeune femme de face. Sa coiffure était aussi insolite sur le devant que sur la nuque : sa frange était coupée en pointe juste au milieu du front. On aurait dit un casque noir peint à même le crâne. Malgré l'heure tardive, elle avait les yeux dissimulés derrière de grandes lunettes noires. Elle portait la même jupe bariolée que la première fois.

Elle marchait lentement, presque à contrecœur; son compagnon, – le nommé Philip – fouillait du regard les environs, comme s'il attendait une personne avec qui il avait rendez-vous. Ils ne cherchaient certainement pas une table libre, car la terrasse était à moitié vide. Dora donna sous la table un coup de pied à son mari pour le rappeler à l'ordre et elle se mit à parler de ses amis allemands, Werner et Trudi. Wexford, qui continuait à surveiller le couple du coin de l'œil, le vit hésiter, puis s'asseoir à la table voisine. Conscient d'être observé à son tour, il se tourna vers Dora pour se donner une contenance.

Une voix qu'il avait déjà entendue dit :

– Excusez-moi, mais nous n'avons pas de cendrier sur notre table. Pouvons-nous prendre le vôtre?

Dora le lui tendit.

– Je vous en prie, dit-elle sans même lever les yeux.

L'autre insista en souriant.

– Vous êtes bien sûre que vous n'en avez pas besoin?

– Absolument. Nous ne fumons pas.

Wexford comprit que le jeune homme n'était pas du genre à renoncer si facilement; il en fut satisfait, car il était maintenant très intrigué par un détail qu'il venait de remarquer. Un second coup de pied de Dora sur sa cheville eut pour seul résultat de lui faire ramener ses jambes sous sa chaise. Il se tourna vers l'autre table et, à la question suivante : « Restez-vous longtemps à Mirna? » il répondit aimablement :

– Une quinzaine de jours. Nous sommes ici depuis quatre jours.

Ces quelques mots eurent un effet saisissant. L'homme n'aurait pu exprimer une plus grande joie – et même un certain soulagement – si Wexford lui avait annoncé un héritage inattendu ou l'avait rassuré sur le sort d'un ami en danger.

– Oh, formidable! Un vrai coup de chance. Cela fait tellement plaisir de rencontrer des compatriotes! Il faudra absolument faire quelque chose ensemble. Je vous présente ma femme. Nous nous appelons Philip et Iris Nyman. Etes-vous Londoniens, vous aussi?

Wexford se présenta, ainsi que Dora, et expliqua qu'ils venaient de Kingsmarkham, dans le Sussex. Philip Nyman se déclara enchanté de faire leur connaissance. Accepteraient-il de boire quelque chose? Non? Pas même une tasse de café? Wexford finit par accepter un café, en se demandant pourquoi Iris Nyman avait l'air tellement paralysé. Elle n'avait réagi aux présentations que par un bref signe de tête. Etait-elle gênée par l'exubérance de son mari? Il fallait reconnaître que c'était assez embarrassant. L'homme se mit à parler avec force détails de leur voyage depuis l'Angleterre, de leur traversée de la France et de l'Italie, des gens qu'ils avaient rencontrés, du temps, de leur émerveillement devant la côte de Dalmatie, qu'ils visitaient pour la première fois. Iris Nyman, elle, ne manifestait aucun émerveillement. Elle contemplait fixement la mer, en sirotant son *slivovic* comme si c'était de la limonade.

– Nous l'avons adorée, il n'y a pas d'autre mot. On dit que c'est le coin de Méditerranée le plus préservé, et je le crois sans peine. Dubrovnik nous a aussi beaucoup plu, à tous les trois. Parce qu'il faut vous dire que nous avions une cousine de ma femme avec nous. Comme elle devait partir en Grèce rejoindre des amis pour les vacances, elle a pris dimanche à Dubrovnik l'avion pour Athènes et nous a laissés continuer seuls jusqu'ici.

– Nous vous avons vus à Dubrovnik, intervint Dora. Sur les remparts.

Le verre d'Iris Nyman heurta ses dents avec un petit bruit sec.

– Vous nous avez vus sur les remparts? s'écria son mari. Mais oui, en effet, il me semble me rappeler... – Il paraissait un peu pris de court mais nullement désarçonné. – Si je me souviens bien, nous étions en train de nous disputer.

Dora eut un geste de protestation.

– Nous sommes juste passés devant vous. Il faisait terriblement chaud, n'est-ce pas?

– Vous êtes d'une discrétion charmante, Mrs. Wexford... Ou puis-je vous appeler Dora? Le fond de l'histoire, Dora, c'est que ma femme voulait escalader l'une des montagnes locales; moi, j'essayais de lui expliquer que ce n'était pas envisageable. Avec cette chaleur, je vous demande un peu! Et pour quel résultat? Pour avoir la même vue que celle des remparts!

– Etes-vous parvenu à l'en dissuader? s'enquit tranquillement Wexford.

– Non sans mal, oui, mais vous êtes arrivés au plus chaud de la bagarre. Encore un verre, chérie? Et vous, Dora? C'est toujours non?

Les deux femmes répondirent en même temps : « Un autre *slivòvic* et « Merci beaucoup, mais nous devons rentrer. » Il y avait longtemps que Wexford n'avait vu sa femme aussi irritée et décontenancée. Il ne put s'empêcher d'admirer Nyman qui poursuivait désespérément ses efforts, un sourire figé sur les lèvres.

– Voyons, laissez-moi deviner... Vous êtes decendus à *L'Adriatic*? – Considérant l'absence de réponse comme un assentiment, il reprit : – Nous, nous sommes au *Bosnia*. Attendez... si nous prenions rendez-vous? Pour mercredi, par exemple? Nous pourrions aller faire une ballade dans ma voiture.

Ayant d'autres engagements, les Wexford n'eurent aucun scrupule à décliner l'invitation. Ils se souhaitèrent une bonne nuit, et Wexford se contenta de hocher la tête sans se compromettre lorsque Nyman répéta qu'ils devaient absolument se revoir, ne pas se perdre de vue après avoir eu la chance de se rencontrer.

– Quelle femme grossière! s'exclama Dora lorsqu'ils furent hors de portée d'oreille.

– Elle était surtout très nerveuse, dit Wexford d'un air pensif. Quand on y réfléchit, cette histoire est vraiment bizarre.

– Tu trouves? Cette femme est mal élevée, c'est tout. Quant à lui, il est d'une exubérance qui frise le sans-gêne; il n'y a rien de bizarre là-dedans. Il s'est incrusté, nous a obligés à nous présenter – alors, qu'elle, de toute évidence, se fichait pas mal de savoir qui on était. J'ai été suffoquée quand il m'a appelée Dora.

– Ce n'est pas là le plus bizarre. Après tout, c'est la méthode habituelle pour se faire des relations de vacances. Cela s'est sans doute passé de la même façon avec Werner et Trudi.

– Non, Reg, pas du tout. D'abord, nous sommes de la même génération et nous séjournons au même hôtel. Trudi parle très bien l'anglais, et nous avons fait connaissance au bord de la piscine, en regardant les enfants s'ébattre dans le petit bain. A un moment, elle a fait allusion à ses petits-enfants, qui se trouvent avoir le même âge que les nôtres, et c'est ainsi que cela a démarré. Ce n'est pas comme un homme de trente ans qui entre dans un café et se jette sans crier gare dans les bras d'un ménage assez âgé pour être ses parents. J'appelle cela de la désinvolture.

– Peut-être, rétorqua Wexford avec impatience. Mais as-tu seulement remarqué qu'il y avait un cendrier propre sur leur table avant qu'ils ne s'y installent ?

Dora s'arrêta net pour scruter le visage de son mari dans l'obscurité.

– *Quoi ?*

– Parfaitement. J'imagine qu'il l'a empoché de façon à avoir un prétexte pour nous aborder. *Ça,* c'est bizarre. Et le fait de nous donner tous ces renseignements sans qu'on lui demande rien, c'est tout aussi bizarre. Et ce mensonge délibéré qu'il nous a servi, c'est encore bizarre... Viens donc, ma chérie. Ne reste pas là à me regarder bouche bée.

– Quel mensonge délibéré ?

– Quand tu lui as dit que nous les avions vus sur les remparts, il a répondu qu'il s'en souvenait et que nous avions dû surprendre sa dispute avec sa femme. C'était déjà bizarre en soi. Pourquoi nous en parler? Que nous importent leurs querelles domestiques? Il nous a déclaré que la dispute concernait l'escalade d'une montagne, mais personne ne fait d'alpinisme par ici en été. En outre, je me rappelle très précisément les paroles qu'il a prononcées à Dubrovnik. Il a dit : « Nous n'avons personne pour nous emmener ». D'accord, cela pouvait signifier qu'ils ne trouvaient pas de guide. Mais il a ajouté : « Et il n'y a pas d'endroit où aborder ». Ce sont ses paroles exactes. Or on n'aborde pas une montagne, à moins de la prendre d'assaut par hélicoptère!

– Mais alors... pourquoi? Quel est son but?

– Je me le demande, dit Wexford. En tout cas, ce n'est certainement pas de faucher des cendriers en plastique.

Ils contournèrent la pointe et arrivèrent en vue des lumières de l'*Hôtel Adriatic*. Dora y vit alors suffisamment clair pour distinguer le visage de son mari. Ce qu'elle y lut ne lui plut pas.

– Tu ne vas pas jouer les détectives, Reg!

– Peux pas m'en empêcher, c'est en moi. Mais je ne te gâcherai pas tes vacances, promis.


Le mardi matin, le bateau de Racic attendait à l'embarcadère devant l'hôtel.

– Gospoda Wexford, c'est un grand plaisir de faire votre connaissance.

Il aida courtoisement Dora à monter dans son embarcation, laquelle était équipée d'une sorte de capote en toile verte – repliée pour le moment – qui lui donnait comme un air de gondole. Tandis qu'il lançait le moteur, Dora lui exprima ses regrets de ne pouvoir participer à l'excursion du lendemain.

– Vous aimerez Cetinje, lui dit Racic. Amusez-vous bien. Gospodin Wexford et moi, nous passerons la journée entre hommes. Etes-vous bien installée? J'espère que c'est un peu plus confortable pour une dame que cet engin-là.

Il indiquait, de l'autre côté de la baie, un homme qui pagayait à bord d'un canot pneumatique bleu et jaune. La fille qui l'accompagnait portait un bikini très succint. C'étaient les Nyman.

– Je vous serais très reconnaissant si vous pouviez éviter ces gens, Mr. Racic, dit Dora.

Racic lança un coup d'œil à Wexford.

– Vous les avez rencontrés? Ils vous ont importunés?

– Pas à ce point-là. Ils nous ont accostés hier soir à Mirna et l'homme s'est montré un peu trop insistant.

– Je vais rester près du rivage et nous irons à Vrt à partir de cette petite péninsule, là-bas.

Pendant la plus grande partie de la matinée, ils furent absolument seuls sur la petite plage de galets de Vrt – mot qui, ainsi que le leur avait appris Racic, signifiait « jardin ». Wexford resta prudemment assis à l'ombre pendant que Dora prenait son bain de soleil. Le canot pneumatique s'approcha une fois, mais les Nyman ne reconnurent pas les Wexford, peut-être à cause de leurs maillots de bain. Iris Nyman se découpa un bref instant sur le ciel bleu avant de plonger dans l'eau profonde avec un *plouf!* explosif.

– Elle est peut-être mal élevée, dit Dora, mais il faut reconnaître qu'elle a une ravissante silhouette. Et je ne suis pas d'accord avec toi, Reg : ses jambes sont parfaites.

– Pas remarqué, marmonna Wexford.

Ce fut Josip qui les ramena. C'était un homme du même genre que Racic, mince, souriant et très bronzé; mais ses connaissances en anglais se limitaient à « merci » et « au revoir ». Les Wexford louèrent à nouveau ses services l'après-midi pour retourner à Mirna, où ils passèrent une agréable soirée à bavarder avec Werner et Trudi sur la terrasse de l'hôtel.

Le mercredi matin, une tempête éclata au lever du soleil. Wexford, en contemplant les éclairs et la mer démontée, se demanda si Burden n'avait pas été un peu optimiste dans ses prévisions météorologiques. Mais dès neuf heures, le soleil brillait et le ciel était d'un bleu limpide. Après avoir assisté au départ de Dora dans la Mercedes des Muller, Wexford descendit à l'embarcadère. Le bateau de Racic rentrait juste.

— J'ai apporté du pain et des saucisses pour notre déjeuner, et du Posip dans un flacon pour le garder au frais.

— Alors nous prendrons cela à onze heures pour nous mettre en appétit, parce que je vous invite à déjeuner.

Ils prirent leur collation à Dubrovnik, après avoir visité l'île de Lokrum. Wexford écouta avec un intérêt passionné les histoires du batelier-professeur. Celui-ci lui expliqua comment la richesse des marchands de la ville avait conduit à une renaissance littéraire, comment des bateaux construits à Dubrovnik avaient pris part à l'Armada espagnole, comment un tremblement de terre avait dévasté la ville et presque détruit l'Etat. Ils se remirent en route pour Lopud, Sipan et Kolocep, puis s'en revinrent sur les eaux calmes tandis que le soleil baissait à l'horizon.

— Cette petite île a-t-elle un nom? demanda Wexford.

— On l'appelle Vrapci, ce qui signifie « Moineaux ». Il paraît qu'on y trouve des milliers de moineaux – et seulement des moineaux, car personne n'y va jamais. On ne peut pas y débarquer.

– Parce que les rochers sont trop à pic, vous voulez dire? Et de l'autre côté?

– Je vais m'approcher pour que vous puissiez voir. Il y a bien une plage, mais personne ne voudrait y aller. Attendez.

L'île, très petite – environ huit cents mètres de circonférence – était entièrement recouverte de pins rabougris. Au pied des arbres, le rocher grisâtre tombait à pic dans l'eau, d'une hauteur d'environ trois mètres. On ne voyait pas un seul moineau, aucun signe de vie. Entre les remparts de rochers, il y avait une petite plage de galets d'aspect rébarbatif, surplombée d'un immense pin qui lui donnait une ombre profonde. De toute évidence, le soleil ne pénétrait jamais jusqu'à cette plage. Là où les galets s'étrécissaient, à l'autre extrémité, il y avait dans le roc une crevasse juste assez large pour permettre le passage d'un homme.

– Pas très excitant, dit Wexford. Pourquoi aurait-on envie de venir ici?

– Personne n'y vient, que je sache. Sauf peut-être... Il existe une nouvelle mode, vous savez, Gospodin Wexford – ou devrais-je dire monsieur?

– Appelez-moi Reg.

Racic inclina la tête.

– Reg, oui, merci. Je n'ai jamais rencontré ce nom, mais il me plaît. Comme je vous le disais, il existe une mode pour les bains nus. Ici, en Yougoslavie, c'est interdit car ce n'est pas convenable, pas décoratif. Vous avez certainement remarqué l'inscription peinte sur certains rochers : « Pas de nudistes ». Mais certains bafouent cette règle, surtout sur les petites îles. Vrapci pourrait leur convenir s'ils trouvaient un bateau et quelqu'un pour les conduire.

– Si le bateau accostait sur la plage, ses occupants pourraient rejoindre l'autre côté à la nage, au soleil.

– A condition d'être de bons nageurs, oui. Mais nous n'essaierons pas, Reg. A notre âge, nous n'allons pas risquer de nous rompre le cou pour nous mettre tout nus, eh?

Ils s'éloignèrent sur la mer immense et Wexford jeta un dernier regard en arrière vers les remparts de la ville, ces falaises défensives érigées par des hommes. Au bout d'un moment, il demanda d'une voix hésitante :

– Pourriez-vous me répéter ce que vous avez entendu de la conversation de ce couple d'Anglais, Philip et Iris Nyman, quand vous les avez pris sur votre bateau?

– C'est donc leur nom? temporisa Raci. Nyman?

– J'ai une bonne raison de vous le demander.

– Puis-je la connaître?

– Je suis policier, soupira Wexford.

Le visage de Racic s'assombrit.

– Je n'aime pas beaucoup cela. Vous êtes ici pour surveiller ces gens? Vous auriez dû me le dire avant.

– Non, Ivo, non. – Wexford utilisa le prénom à dessein. – Non, vous m'avez mal compris. J'ignorais leur existence jusqu'à samedi dernier. Mais maintenant que je les ai vus et que je leur ai parlé, j'ai l'impression qu'ils font quelque chose d'illégal. Et si c'est le cas, il est de mon devoir d'agir. Ce sont mes compatriotes.

– Reg, dit Racic d'un ton radouci, ce que j'ai entendu n'a certainement rien à voir avec cela. C'était personnel, privé.

– Vous ne voulez pas me le répéter?

– Non. Nous ne sommes pas de vieilles commères, tous les deux, eh?

Wexford grimaça un sourire.

– Accepteriez-vous alors de *faire* quelque chose pour moi? Je voudrais que vous fassiez comprendre à ces gens – subtilement, bien sûr – que vous connaissez l'anglais.

– Etes-vous sûr qu'ils font quelque chose d'illégal?

– Oui.

Il y eut un silence pendant lequel Racic parut communier avec la mer. Enfin, il dit calmement :

– Je vous fais confiance, Reg. D'accord, je le ferai si je le peux.

– Alors, allons à Mirna. Ils doivent être en train de boire un verre au bord de l'eau.

Sur la jetée, une bonne douzaine de touristes attendaient en file indienne qu'on les amène à l'*Hôtel Adriatic* ou à l'hôtel de Vrt. Les Nyman étaient parmi eux, en bout de queue. Cela se passa mieux que Wexford n'aurait osé l'espérer : les quatre premiers montèrent dans le bateau de Josip, à destination de Vrt, et les suivants dans celui de Mirko – lequel, ne pouvant prendre que huit voyageurs, ne put embarquer les Nyman.

– *Hôtel Adriatic*, dit Philip Nyman à Racic. – Reconnaissant Wexford, il s'exclama : – Tiens, tiens, quelle heureuse surprise! Bonne journée?

Wexford répondit qu'il était allé à Dubrovnik. Puis il aida la jeune femme à monter. Celle-ci le remercia; elle paraissait moins nerveuse et lui adressa un sourire timide. Racic lança le moteur et le bateau démarra.

– Je vous ai vus hier dans votre canot, dit Wexford.

– Ah oui? – Philip Nyman parut satisfait. –

Malheureusement, nous ne pourrons pas le prendre ce soir. Ce n'est pas sûr après la tombée de la nuit et il faut vraiment être en maillot de bain. Nous dînons tout à l'heure à votre hôtel avec un ménage d'Anglais que nous avons rencontré hier; nous avons projeté de faire une promenade romantique au clair de lune.

Ils étaient plus habillés que d'habitude : Nyman portait un costume de toile beige, sa femme une jupe jaune à motifs noirs et des sandales noires à hauts talons. Wexford, qui s'attendait à une invitation à se joindre à eux pour le dîner, fut surpris de ne rien voir venir.

Les Nyman allumèrent chacun une cigarette. Wexford, qui observait Racic, le vit froncer les sourcils. Il le connaissait maintenant suffisamment pour savoir que le batelier avait des idées bien arrêtées sur la pollution; or il était évident que ces mégots finiraient dans la mer. Wexford jubila intérieurement : la rancune de Racic contre ses passagers l'encouragerait sans doute à tenir sa promesse. En attendant, il gardait le silence. A la lumière du soleil couchant, la mer semblait recouverte d'une peau lisse et dorée.

– Magnifique, dit Iris Nyman.

– Dommage que vous deviez partir si vite.

– Nous restons jusqu'à samedi, dit Nyman.

Il ne renouvela pas pour autant sa proposition d'une promenade en voiture avec les Wexford. Sa femme tira une dernière bouffée de sa cigarette et la jeta par-dessus bord.

– Après tout, dit Nyman, il y a déjà tellement de cochonneries dedans, une de plus ou une de moins...

Et il lança son mégot encore allumé dans les remous dorés.

Racic coupa le moteur : ils approchaient du débarcadère de l'hôtel. Nyman porta la main à sa poche pour prendre de la monnaie. Ce fut Wexford qui se leva le premier. Tandis que le Yougoslave amarrait le bateau, il lui dit :

– J'ai passé grâce à vous une merveilleuse journée. Merci infiniment.

Bien qu'il ne regardât pas les Nyman, il devina leur réaction amusée devant cette éclatante illustration du chauvinisme notoire des Anglais, pour lesquels seuls les imbéciles ne parlent pas leur langue. Racic redressa sa petite taille. Et, quel que fût son accent en temps ordinaire, il parla en cet instant comme s'il était né à Kensington et avait fait ses études à Oxford :

– Je suis très heureux que cela vous ait plu, vraiment. Présentez mes hommages à votre femme et dites-lui que j'espère bientôt la revoir.

Les Nyman n'eurent aucune réaction. Ils descendirent du bateau, tandis que Racic s'empressait : « Permettez-moi de vous donner un coup de main, madame. » D'une voix un peu rauque, Nyman marmonna des remerciements et paya les vingt dinars. Ils n'eurent pas un mot pour Wexford, ne se retournèrent pas une seule fois. Le policier les regarda s'éloigner.

– Ai-je été à la hauteur, Reg ? C'est la contamination de ma chère mer qui m'a décidé.

– Vous vous êtes très bien débrouillé, murmura Wexford, l'air absent.

– Que regardez-vous avec une telle concentration ?

– Des jambes, répondit Wexford. Encore merci, et à demain.

Il remonta vers l'hôtel en cherchant des yeux les Nyman, mais ils avaient disparu. Sur la terrasse, en se retournant, il les vit qui se hâtaient sur le sentier du bord de mer, vers Mirna; ils avaient apparemment oublié leurs nouveaux amis et leur rendez-vous à dîner. Wexford entra dans l'hôtel et prit l'ascenseur pour monter dans sa chambre. Dora n'était pas encore rentrée. Un peu fatigué, il s'allongea sur l'un des lits jumeaux. Que faire maintenant? se demanda-t-il. Prévenir la police de Dubrovnik? Il décrocha le téléphone pour appeler la réception mais raccrocha en entendant entrer Dora.

Elle courut vers lui, la mine consternée.

– Reg, qu'y a-t-il? Comment te sens-tu?

Il lisait ses pensées sur son visage : sa tension? son cœur? une insolation...? Il se reposait rarement dans la journée.

– Je vais très bien, je t'assure. – Il se mit sur son séant. – Dora, quelque chose de très bizarre...

– Ça y est, tu te remets à enquêter! J'en étais sûre. – Elle retira vivement ses chaussures et ouvrit les fenêtres donnant sur le balcon. – Tu ne m'as même pas demandé si j'avais passé une bonne journée.

– Je vois que oui. Viens, ma chérie, ne sois pas susceptible. Je me suis toujours plu à imaginer que tu étais la seule femme au monde à ne pas être difficile à vivre. – Elle le regarda d'un air mitigé. – Ecoute, fais quelque chose pour moi, reprit-il. Décris-moi la femme que nous avons vue sur les remparts.

– Iris Nyman? Pourquoi donc?

– Sois gentille, fais ce que je te dis.

– Décidément, le soleil t'a vraiment tapé sur la tête. Enfin, si ça peut te faire plaisir... Taille moyenne, jolie silhouette, très bronzée, la trentaine, coiffure géométrique. Elle portait un corsage bain de soleil vert jade et une jupe verte à motifs roses.

– Maintenant, décris-moi la femme que nous avons vue lundi avec Nyman.

– Aucune différence, sauf qu'elle avait un corsage noir et une étole.

Wexford se leva du lit et se dirigea vers le balcon.

– Ce sont deux femmes différentes, dit-il.

– Où diable veux-tu en venir?

– Je voudrais bien le savoir, dit Wexford. Tout ce que je sais, c'est que l'Iris Nyman que nous avons vue sur les remparts n'est pas celle que j'ai vue – ou que nous avons vue ensemble – par la suite.

– Tu te laisses emporter par ton imagination, Reg, je t'assure. Sa coiffure était caractéristique, de même que ses vêtements. Et puis, elle était avec Philip Nyman...

– Mais la première fois, nous n'avons pas vu son visage. Nous n'avons pas entendu sa voix. Nous avons simplement remarqué ces détails caractéristiques que tu viens de mentionner. Et c'était fait exprès.

– Qu'est-ce qui te fait croire qu'il y a deux femmes?

– Elles ont des jambes différentes. Au fond, c'est toi qui m'as mis la puce à l'oreille en attirant mon attention sur ses jambes.

Dora se pencha sur la balustrade du balcon. Ses épaules s'affaissèrent.

– Eh bien, je le regrette... Reg, à la maison tu ne discutes jamais d'une affaire avec moi. Pourquoi agir différemment ici?

– Je n'ai personne d'autre sous la main.

– Trop aimable. Mais tes soupçons sont absurdes, Reg; tu as dû rêver. Pourquoi combinerait-on une pareille supercherie? Et d'abord, *comment* le pourrait-on?

– Très facilement. Il suffisait à Nyman d'avoir une complice du même âge et de même prestance que sa femme. Samedi ou dimanche, cette complice s'est fait teindre et couper les cheveux, et elle a revêtu les vêtements d'Iris Nyman. Ce que je voudrais maintenant savoir, c'est *pourquoi*.

Dora tourna le dos au soleil et fixa sur son mari un regard dur.

– Non, Reg, non. Je ne suis pas susceptible. Je réagis comme le ferait n'importe quelle femme en vacances en s'apercevant que son mari n'est pas capable d'oublier son travail pendant deux semaines. C'est mon premier voyage à l'étranger depuis dix ans. Si on t'avait envoyé ici pour surveiller ces gens dans le cadre d'une enquête, je ne dirais rien. Mais en réalité, tu as simplement imaginé cela parce que tu es incapable de te détendre, de profiter du soleil et de la mer comme tout le monde.

– Nous verrons bien.

Il aimait beaucoup sa femme et il s'en voulait d'être contraint par son métier de la négliger si souvent.

– Ne fais pas cette tête d'enterrement, reprit-il. Je t'ai promis de ne pas laisser cette affaire gâcher tes vacances, et je tiendrai ma parole. – Il lui caressa gentiment la joue. – Maintenant, je vais prendre mon bain.

Douze heures plus tard, il longeait le sentier en direction de Mirna. Le soleil était déjà chaud et il y avait un voilier dans la baie. Des vendeurs de tapis avaient étalé leurs marchandises sur la place du marché et les bistrots étaient ouverts pour ceux qui désiraient boire du café ou – même à cette heure matinale – du cognac.

Avec ses parois en tôle et ses contreforts en ciment, le *Bosnia* – heureusement dissimulé par des rangées de pins et de cyprès – ressemblait davantage à un OVNI égaré dans les bois qu'à un hôtel de tourisme. Wexford traversa une cour d'entrée aussi vaste qu'un terrain de football et pénétra dans un hall qui n'aurait point déparé le palais de justice d'une grande capitale.

La réceptionniste parlait bien l'anglais.

– Mr. et Mrs. Nyman sont partis hier soir, monsieur.

– Ils comptaient bien rester encore trois jours?

– Je ne saurais vous dire, monsieur. Ils sont partis hier soir avant le dîner. Je ne puis vous renseigner davantage.

C'était donc cela.

– Que vas-tu faire, maintenant? s'enquit Dora pendant leur petit déjeuner tardif. Jouer aux gendarmes et aux voleurs sur toute la côte de Dalmatie?

– Je vais voir venir. Et en attendant, je vais profiter de mes vacances et veiller à ce que tu profites des tiennes.

Pour la première fois depuis la veille au soir, il la vit se détendre et sourire sans contrainte.

Il parvint à profiter de ses vacances tout autant que Dora, bien que les Nyman fussent en permanence présents dans son esprit. Werner et Trudi les emmenèrent à Mostard admirer le pont turc. Ils allèrent à Budva, et les membres du syndicat des bateaux-taxis leur firent faire le trajet de Mirna à Lokrum. En secret, Wexford achetait chaque matin un quotidien de Londres – datant de la veille et trois fois plus cher que son prix normal. Il ne savait pas très bien ce qu'il espérait ou craignait d'y trouver. Le matin de leur dernier jour de vacances, il faillit y renoncer : après tout, il serait rentré dans moins de vingt-quatre heures et il pourrait alors prendre les mesures qui s'imposaient. Mais lorsqu'il passa devant le bureau de la réception pour se rendre dans la salle à manger, l'employé lui tendit le journal, comme si c'était là une chose parfaitement naturelle.

Wexford le remercia. Et c'était là, en première page.

*Disparition de la fille d'un magnat,* proclamait le gros titre. *Le Roi du vêtement de plage craint un enlèvement.*

L'article était ainsi conçu :

*Mrs. Iris Nyman, 32 ans, n'est pas rentrée hier à son appartement londonien qu'elle avait quitté pour aller faire des courses. Son père, Mr. James Woodhouse, PDG de* Sunsports Ltd, *le plus important fabricant de vêtements de plage, craint que sa fille ait été enlevée et s'attend à recevoir une demande de rançon. La police envisage sérieusement cette hypothèse.*

*Le mari de Mrs. Nyman, Philip Nyman, 33 ans, nous a déclaré aujourd'hui : « Ma femme et moi venions juste de rentrer de vacances en Italie et en Yougoslavie. Hier matin, elle est sortie faire des courses et elle n'est pas rentrée. Je suis fou d'inquiétude. Elle semblait pourtant heureuse et détendue. »*

*La société de Mr. Woodhouse, dont Mrs. Nyman est l'un des administrateurs, a fait l'objet cette année d'une importante offre de rachat, à la suite de quoi deux autres grandes firmes ont fusionné avec* Sunsports Ltd. *Le chiffre d'affaires de la société s'élevait l'année dernière à environ cent millions de livres.*

Le journal publiait une photographie d'Iris Nyman avec des lunettes noires. Wexford aurait été bien incapable de dire si c'était la femme de Dubrovnik ou celle de Mirna.

Ce soir-là, ils offrirent à Racic un dîner d'adieu dans un restaurant de Dubrovacka.

— Ne dites pas comme tout le monde que vous reviendrez l'an prochain, Reg. Pour le moment, vous trouvez la Dalmatie très belle, vous et Gospoda Wexford, mais le souvenir va s'effacer dans quelques jours. Quelqu'un vous conseillera San Marino la prochaine fois, ou Ibiza, et vous irez. N'est-ce pas vrai?

— Je reviendrai certainement, dit Wexford en levant son verre de Posip. Mais pas dans un an. Plus tôt que cela.

Trois cent soixante-deux jours plus tôt, ainsi que le fit remarquer Racic.

— Et me revoilà, installé dans le *vrt* de votre *kucica!*

— Reg, vous allez bientôt parler couramment le serbo-croate!

— Hélas, je n'en aurai pas le temps. Je dois être de retour à Londres demain soir.

Ils étaient assis dans des fauteuils en osier, dans le jardin de la maison de Racic, sous sa vigne et son figuier. Des lauriers-roses blancs et roses luisaient dans le crépuscule et, au-dessus de leurs têtes, de grosses grappes vertes pendaient entre les lattes d'un auvent. Une bouteille de Posip était posée sur la table, au milieu des restes d'un copieux dîner.

— Maintenant que nous avons mangé, dit Racic, vous allez me raconter l'importante affaire qui vous a ramené si vite à Mirna. Cela concerne Mr. et Mrs. Nyman?

— Ivo, nous allons bientôt faire de vous un détective!

Racic éclata de rire et remplit de nouveau le verre de Wexford. Puis il redevint sérieux :

– Ce n'est pas une histoire amusante, je suppose?

– Loin de là. J'ai accompagné cet après-midi la police de Dubrovnik à Vrapci et nous avons retrouvé dans une grotte le cadavre d'Iris Nyman. Ou je me trompe fort, ou elle a été assassinée.

– *Zaboga!* Ce n'est pas possible! Cette femme qui était au *Bosnia* et qui est montée dans mon bateau avec son mari?

– Non. Celle-là est bien vivante à Athènes, d'où elle va sans doute être extradée.

– Je ne comprends pas. Racontez-moi l'histoire par le début.

Wexford s'adossa à sa chaise et contempla un moment le ciel mauve où apparaissaient les premières étoiles.

– Je vais d'abord brosser le portrait des principaux personnages, dit-il. Iris Nyman était la fille unique de James Woodhouse, le PDG de *Sunsports Ltd.*, une société spécialisée dans la fabrication de vêtements de plage et qui a un important commerce d'exportation. A moins de vingt ans, elle se maria avec un jeune employé de la société de son père. Après le mariage, Woodhouse offrit à sa fille un poste d'administrateur, mit beaucoup d'argent entre ses mains, lui acheta une maison et lui donna une voiture de fonction. Pour justifier le salaire que lui versait la société, elle faisait chaque année avec son mari un voyage en Europe, dans des sites de vacances touristiques, son rôle consistant à porter ostensiblement des vêtements *Sunsports* et à étudier le succès des marques concurrentes. En fait, j'imagine qu'elle prenait simplement des vacances.

« Le ménage Nyman ne marchait pas très bien. En tout cas, Philip n'était pas heureux. Iris était le type de la petite fille riche et arrogante qui s'imaginait que tout lui était dû. En outre, tout lui appartenait : l'argent, la maison et la voiture. Philip, lui, restait un simple vendeur. Là-dessus, voici un an, il tomba amoureux d'une cousine d'Iris, une certaine Anna Ashby. Apparemment, Iris n'avait rien remarqué et son père non plus.

– Alors comment avez-vous...? l'interrompit Racic.

– Dans ces cas-là, il y a toujours une personne au courant, Ivo. Une amie d'Anna a fait une déposition à Scotland yard. – Wexford s'interrompit pour boire une gorgée de vin. – Voilà pour la toile de fond, dit-il. Venons-en maintenant à ce qui s'est passé voici environ un mois.

« Les Nyman avaient prévu de partir en voiture dans le sud de la France, comme d'habitude, mais en passant cette fois par l'Italie et en s'arrêtant une huitaine de jours sur la côte dalmate. Anna Ashby, elle, avait prévu d'aller en Grèce avec des amis et, *à l'invitation d'Iris*, elle devait accompagner les Nyman jusqu'à Dubrovnik, où elle resterait avec eux quelques jours avant de prendre l'avion pour Athènes.

« A Dubrovnik, après quelques jours passés ensemble tous les trois, Iris voulut absolument aller se baigner à Vrapci. Peut-être désirait-elle se baigner nue, je n'en sais rien. Philip Nyman n'a toujours pas avoué. Lorsque je suis parti, il continuait à affirmer que sa femme était rentrée en Angleterre avec lui.

– C'était donc votre idée, intervint Racic, que le corps de cette pauvre femme était caché sur l'île au moineaux ?

– Une simple intuition, dit Wexford. J'avais surpris les bribes de conversation et j'ai rapproché cela d'un mensonge que l'on m'a dit par la suite. Je suis un policier... Je ne peux pas vous dire s'ils sont allés à Vrapci le samedi 18 ou le dimanche 19. Toujours est-il qu'ils y sont allés, dans leur canot pneumatique. Ils y partirent à trois mais deux seulement revinrent : Nyman et Anna Ashby.

– Ils ont tué Mrs. Nyman ?

– J'en suis persuadé, répondit Wexford, l'air pensif. Bien sûr, il est encore possible qu'elle se soit noyée accidentellement. Mais dans ce cas, un mari normal n'aurait-il pas informé immédiatement les autorités ? Et s'il avait retrouvé le corps, ne l'aurait-il pas ramené avec lui ? Nous attendons les résultats de l'autopsie, mais même s'il n'y a pas de blessures ni d'ecchymoses sur le cadavre, même si les poumons sont remplis d'eau, je serais fort surpris d'apprendre que Nyman et Anna ne l'ont pas aidée à mourir.

Ils restèrent silencieux un moment. Puis Racic se leva et rapporta de la maison un candélabre; mais il alluma finalement une ampoule électrique encastrée dans le mur.

– La lumière va attirer les insectes, dit-il, mais là, au moins, ils ne nous dérangeront pas. C'est donc cette Anna Ashby qui est venue à Mirna, en se faisant passer pour Mrs. Nyman ?

– D'après le directeur de l'hôtel de Dubrovnik où ils étaient descendus tous les trois, Nyman a réglé sa note le 19 juin au soir et aucune des deux femmes ne l'accompagnait. Iris était déjà morte à ce moment-là et Anna était chez le coiffeur pour se faire teindre et couper les cheveux comme sa cousine. La police a retrouvé le coiffeur qui a exécuté le travail.

– Ils sont venus ici ensuite, dit Racic. Pourquoi ne sont-ils pas rentrés directement en Angleterre ? Ils n'avaient sûrement pas l'intention de jouer cette comédie indéfiniment? Même si les deux femmes, étant cousines, se ressemblaient un peu, cette Anna ne pouvait pas espérer tromper un père, des amis intimes, les voisins de Mrs. Nyman...

– Pour répondre à votre première question, cela aurait paru suspect qu'ils rentrent en Angleterre une semaine plus tôt que prévu. Pourquoi abréger leur séjour? Il faisait un temps merveilleux. Nyman voulait donner l'impression qu'ils avaient passé ensemble de paisibles et heureuses vacances. Non, en réalité, son but était que le plus grand nombre de personnes possible, ici, en Yougoslavie, puissent témoigner que Iris était encore vivante après le 19 juin. C'est pourquoi il nous est tombé dessus et nous a extorqué notre nom et notre adresse. Il voulait être sûr d'avoir des témoins en cas de besoin. Anna, elle, avait moins de cran; elle était très effrayée. Mais cela n'a pas empêché Philip de se trouver deux autres témoins anglais, un ménage avec lequel ils devaient dîner – si votre intervention ne les en avait empêchés.

– Mon intervention?

– Votre excellent anglais. Maintenant, consentirez-vous à me dire ce que vous avez entendu sur votre bateau?

Racic éclata de rire. Ses dents blanches et régulières brillèrent à la lueur de l'ampoule.

– Je savais qu'elle n'était pas Mrs. Nyman, Reg, mais cela ne vous aurait pas aidé à ce moment-là, eh? Vous aviez vu la dame sur les remparts mais pas son certificat de mariage, j'imagine. Et j'ai pensé : pourquoi raconter à ce policier en vacances les petits secrets de mes passagers? Mais à présent, plus rien ne m'empêche. Reg, la dame a dit : « Je me sens très coupable, c'est affreux ce que nous avons fait », et l'homme a répondu : « Tout le monde ici croit que tu es ma femme, et personne à la maison ne se rendra compte de rien. Un jour, tu le seras pour de bon et nous oublierons tout cela. » Dans ces conditions, qu'auriez-vous supposé? Qu'ils parlaient de meurtre ou bien d'amours illicites?

Wexford sourit.

– Nyman a dû penser que nous en parlerions, vous et moi, et que nous en tirerions la bonne conclusion. Ou alors, il avait oublié ce qu'il avait dit exactement. Ce qui l'a poussé à fuir.

– Et après leur départ?

– Anna devait voyager avec le passeport d'Iris, dans l'espoir qu'il serait visé au moins à une frontière. En réalité, il le fut à deux : une première fois à la frontière italo-yougoslave, et une seconde fois à Calais. Puis, à Douvres, elle a quitté Nyman pour attraper le premier avion à destination d'Athènes. Nyman, lui, est rentré à Londres et il est arrivé chez lui dans la nuit du 28, la date prévue pour leur retour. Et le lendemain après-midi, il a signalé à son beau-père et à la police la disparition d'Iris.

– Il espérait que les recherches se limiteraient à l'Angleterre, dit Racic, parce qu'il avait la preuve irréfutable qu'elle était avec lui à Mirna et était rentrée avec lui en Angleterre. personne ne penserait à la rechercher ici, car beaucoup de gens pouvaient témoigner qu'elle était repartie vivante. Mais qu'espérait-il y gagner? Si vos lois sont comme les nôtres – et je crois que toutes les lois sont les mêmes sur ce point –, sans preuve de sa mort, il lui aurait fallu des années avant de pouvoir hériter de son argent ou se remarier?

– Souvenez-vous qu'il ne s'agissait pas d'un meurtre prémédité. Ils ont tué Iris sous l'inspiration du moment. Après avoir dissimulé le cadavre de façon à ce qu'on ne le trouve pas – ou du moins, trop tard pour pouvoir l'identifier –, Nyman annonçait la disparition de sa femme à son retour en Angleterre et s'attirait ainsi la sympathie de son puissant beau-père. Il gardait son emploi – qu'il aurait perdu en cas de divorce –, il disposait de la maison et de la voiture d'Iris et il touchait très probablement – en totalité ou en partie – la rente que lui versait son père. Anna laissait repousser ses cheveux, rentrait chez elle et reprenait sa liaison secrète avec Philip. Un jour, Iris serait déclarée morte et il pourrait l'épouser.

Racic se coupa une tranche de pain en grignotant une olive.

– Maintenant, je comprends tout... ou presque. Je comprends que, sans vous, le complot avait toutes les chances de réussir. Ce que je ne comprends pas, c'est comment, si cette femme ressemblait tellement à l'autre... mais je suis stupide! Vous avez vu son visage!

– Je n'ai pas vu son visage et je n'ai pas entendu sa voix. Dora et moi l'avons aperçue une seule fois, un bref instant et de dos.

– Alors je donne ma langue au chat, comme vous dites!

– Elles avaient des jambes différentes.

– Mais mon cher Reg, mon cher policier, les jambes d'une femme mince et bronzée ressemblent certainement beaucoup aux jambes d'une autre femme du même genre? Ou alors il y avait un grain de beauté?

– Pas que je sache. L'unique fois où j'ai vu la véritable Iris Nyman, elle portait une jupe qui lui cachait à moitié les mollets. Au fond, je n'ai pratiquement pas vu ses jambes.

– Alors... dit Racic en écartant les bras.

– Les chevilles, Ivo! Il y a deux types de chevilles en ce monde, et on ne voit la différence entre les deux que de dos. Dans un cas, le tendon d'Achille, qui relie le mollet au talon, n'est pas très distinct; dans l'autre type – le type de beauté –, il forme un long et mince ligament avec de profonds creux de chaque côté, sous l'os de la cheville – l'astragale. Chez Iris Nyman, le tendon d'Achille n'était pratiquement pas apparent; c'était un défaut dans sa silhouette. Par contre, quand j'ai vu Anna Ashby de dos pour la première fois, quand elle est descendue de votre bateau, j'ai tout de suite remarqué ses chevilles parfaitement galbées. Cette perfection même était son talon d'Achille.

– *Zaboga!* Beauté, eh? seulement deux types au monde?

Racic allongea la jambe et retroussa le bas de son pantalon. Wexford avait déjà remonté le sien. A la lueur de l'ampoule, les deux hommes examinèrent leurs mollets avec attention.

– Les vôtres sont bien, dit Racic. Parfaits, même. Le type de beauté.

– Les vôtres aussi, cher ami.

Racic éclata de rire.

– *Tesko meni!* Deux messieurs d'âge respectable qui exhibent leurs mollets pour un concours de chevilles! Et maintenant?

– Je ne devrais pas, dit Wexford, mais maintenant je propose que nous terminions la bouteille de Posip.

## APRÈS LE MARIAGE

– Le mariage, déclara l'inspecteur-chef Wexford, commence dans le bonheur et se termine dans la crainte.

– Que dis-tu? chuchota sa femme, assise près de lui dans l'église, du côté du marié.

Il répéta sa sentence. Dora remit d'aplomb son vaste chapeau à fleurs, que son mari avait déclaré fort seyant mais pas particulièrement propice aux confidences *sotto voce*.

– Qu'est-ce qui te fait dire cela?

– C'est de Thomas Hardy, pas de moi. Mais regarde dans ton livre de prières.

Le futur marié attendait, tête basse, en compagnie de son garçon d'honneur. Pour son second mariage, Michael Burden se liait à une femme qui lui était admirablement assortie et dont il était très amoureux. A quarante-quatre ans, il était un peu âgé pour ce que Wexford appelait « le grand tralala des mariages en blanc », mais sa fiancée et lui avaient tenu à ce qu'il y eût une cérémonie religieuse. Il y avait deux cents personnes dans l'église. Burden était en jaquette, ainsi que son garçon d'honneur et ses témoins. Les bancs, la chaire et les marches du chœur étaient décorés de lis. C'était là le genre de cérémonie généralement réservé à des mariés plus jeunes d'une vingtaine d'années; Burden était d'ailleurs déjà passé par là alors qu'il avait vingt ans de moins. A l'instant où Dora, feuilletant son livre de prières, murmurait : « Ah, je comprends », l'orgue attaqua les premières mesures de la marche de *Lohengrin* et Jenny Ireland apparut à la porte de l'église au bras de son père.

C'était sans conteste une belle mariée. Blonde, douce, plus jeune que Burden de sept ans, elle avait une voix grave et un sourire radieux. Le père de Jenny mit la main de sa fille dans celle de Burden et le curé de St Peter commença :

– Mes bien chers frères, nous sommes réunis dans cette église...

Tandis que le célébrant informait les futurs époux que le mariage n'était pas uniquement l'assouvissement de leurs désirs charnels et qu'ils devaient élever leurs enfants d'une façon chrétienne, Wexford observait l'assistance. Devant lui était assise la belle-sœur de Burden, Grace. Après la mort de sa première femme, tout le monde avait cru que Burden l'épouserait mais il s'était consolé dans les bras d'une rouquine émancipée, un peu bizarre, et Grace en avait épousé un autre. Deux petits garçons étaient maintenant assis entre Grace et cet autre homme, et leur donnaient bien du fil à retordre.

Burden n'avait plus ses parents mais Wexford crut reconnaître une vieille tante, rencontrée une douzaine d'années plus tôt. Près d'elle étaient assis le Dr Crocker et sa femme, entourés d'une assemblée dont Wexford ne connaissait pratiquement aucun des membres. Sylvia, sa fille aînée, se trouvait à sa gauche, avec ses enfants et son mari, puis, au bout du banc, Sheila Wexford, de la compagnie théâtrale *Royal Shakespeare*. La jeune comédienne, qui, à son entrée, avait monopolisé l'attention générale, regardait avec une mélancolie inhabituelle Jenny Ireland, parée de voiles blancs et d'un diadème de perles.

– Moi, Michael George, je te prends, Janina, pour épouse...

Janina... *Janina?* Wexford avait toujours cru qu'elle s'appelait Jennifer. Les Ireland devaient être turcs ou admirateurs de Dumas pour avoir baptisé leur fille Janina. Wexford se pencha en avant pour observer de plus près les procréateurs. Ils avaient l'air assez quelconque : Mr. Ireland paraissait épuisé d'avoir conduit sa fille à l'autel, et sa femme faisait grand usage du mouchoir de dentelle prévu pour essuyer les larmes de joie et d'émotion. Quel accès de romantisme avait bien pu les pousser à écarter Elizabeth, Ann ou Susan en faveur de... Janina?

– Ceux que Dieu a fait se rencontrer, qu'aucun homme ne les sépare. Puisque Michael George et Janina ont accepté de s'unir dans les liens sacrés du mariage...

Avaient-ils été aussi audacieux dans le choix du prénom de leur fils? Wexford ne voyait de ce dernier qu'un large dos, un bout de profil – et, en cet instant, une main qui tendait à Mrs Ireland un grand mouchoir blanc. Wexford se trouva brusquement propulsé sur ses pieds pour chanter un cantique.

– O, Amour Parfait, Toi qui transcendes la pensée humaine,

Nous nous prosternons pour prier devant Ton trône...

Ces paroles eurent le don d'arracher à Mrs Ireland des sanglots déchirants. Son fils – Burden n'avait-il pas dit qu'il était dans l'édition? – détourna la tête d'un air embarrassé. Une jeune femme en robe noire et chapeau orange passa devant l'éditeur et mit un bras consolant autour des épaules de sa mère.

– O Seigneur, sauve ton serviteur et ta servante...

– Qui mettent leur confiance en Toi, répondit l'assemblée.

– O Seigneur, guide-les sur les chemins de Ton royaume...

Pour montrer de l'esprit d'équipe, Wexford claironna « Amen! » Mais quand tous les autres répondirent « Et par-dessus tout, défends-les », il décida de se tenir tranquille à l'avenir.

Mrs. Ireland avait cessé de sangloter. Wexford jeta un coup d'œil vers ses filles : Sheila chantait à pleine gorge mais Sylvia, la M.L.F., ne participait que du bout des lèvres, comme si elle hésitait à cautionner une cérémonie aussi archaïque et sexiste. Ses petits-fils commençaient à se trémousser.

– Dieu Tout-Puissant, Toi qui au commencement créa nos ancêtres Adam et Eve...

Cher Mike, pensa Wexford dans un de ces accès de sentimentalité qui le prenaient peut-être une fois tous les dix ans, vous allez vivre en paix, maintenant : plus de tentations charnelles en conflit avec votre conscience puritaine, plus de solitude, plus de soucis à vous faire pour vos gosses égoïstes, plus de tortures morales du genre de celles de Saint-Antoine...

– C'est ainsi qu'autrefois se paraient les saintes femmes qui espéraient en Dieu, étant soumises à leurs maris...

Le cap était franchi : la mariée avait promis d'obéir. Wexford ne put résister au désir de jeter un coup d'œil à Sylvia. Il la vit se pencher vers sa sœur avec une expression d'incrédulité horrifiée pour lui murmurer à l'oreille les mots « invraisemblable » et « antédiluvien ».

– ... telle Sarah, qui obéissait à Abraham, l'appelant son Seigneur; c'est d'elle que vous êtes devenues les filles en faisant le bien, et en ne vous laissant troubler par aucune crainte.

Dans le hall de *Chez Olive,* un défilé accueillait les invités. Mrs. Ireland, dûment remaquillée, souriait avec un parfait naturel; Burden avait l'air d'un convalescent après une opération réussie et Jenny était aussi sereine que l'exigeaient les circonstances.

Du xérès et du vin blanc circulaient sur des plateaux. Pas de champagne : on avait expliqué à Wexford que les réserves avaient servi à fêter le départ de la fille cadette des Ireland, dont le mari avait été envoyé dans une lointaine contrée. En tout cas, le buffet était fameux : saumon fumé, canard à l'orange et fraises. Wexford songeait que jamais personne n'avait trouvé de meilleur menu que celui-là. Il avait dû réfléchir tout haut sans s'en rendre compte car, près de lui, une voix déclara :

– Asperges, truite et tarte aux pommes, ce n'est pas mal non plus.

– En effet, concéda Wexford, mais personnellement je préfère la viande. La truite est parfaitement insipide. – Il tendit la main à son interloceur. – Enchanté. Vous êtes le frère de Jenny, mais je crains d'avoir oublié votre prénom.

– Moi, je sais qui vous êtes; Mike me l'a dit. Amyas Ireland, pour vous servir.

*Amyas!* Ainsi, les parents Ireland n'avaient pas cédé à un caprice en prénommant leur fille Janina...

Cette fois encore, l'interlocuteur intuitif parut lire dans les pensées de Wexford.

– Oui, reprit-il, je sais. Mais mon autre sœur a été encore mieux lotie : elle s'appelle Cunégonde. Son mari la surnomme Queenie. Dites-moi, pourrions-nous nous isoler un instant ? Je voudrais vous parler. Mike avait promis de m'aider, mais je ne vais pas lui reparler de cette affaire alors qu'il part en voyage de noces. C'est au sujet d'un livre que nous allons publier.

A cet instant passèrent entre eux la jeune femme en robe noire et chapeau orange, le garçon d'honneur de Burden, Sheila Wexford et une troupe d'enfants, tous avec des assiettes à la main. Wexford dut attendre une bonne minute avant de pouvoir demander :

– Qui ça, « nous » ?

Il fallut encore une demi-minute à Amyas Ireland pour comprendre ce qu'il voulait dire.

– Carlyon Brent et moi, répondit-il, la bouche pleine. Je suis l'associé de Carlyon Brent.

L'une des maisons d'édition les plus importantes et les plus connues ! Wexford fut impressionné.

– Vous avez publié un tas d'excellents bouquins, dit-il.

Ireland inclina la tête.

– Mike m'avait bien dit que vous étiez un grand lecteur. Tant mieux... Reprendrez-vous du canard ? Non ? Moi, si. Attendez, j'en ai pour une minute.

Avec envie, Wexford le regarda mettre d'épaisses tranches dans son assiette, prendre une brioche – puis, après réfléxion, une seconde. Amyas Ireland avait la chance d'être maigre comme un clou.

– Je m'occupe des livres policiers, expliqua-t-il en se rasseyant. Mais en l'occurence, il ne s'agit pas

162

d'un livre de fiction. Avez-vous entendu parler de l'affaire Winchurch?

– Oui.

– Je sais que c'est beaucoup demander, mais... accepteriez-vous de lire un manuscrit pour moi?

Wexford prit une tasse de café sur un plateau qu'on lui présentait.

– Pour quoi faire?

– Dans l'intérêt de la vérité. Mike n'a pas eu le temps de le lire pour me donner son avis. – Wexford le regarda d'un air surpris. Il avait le plus grand respect et une profonde affection pour l'inspecteur Burden, mais c'était le dernier homme qu'il aurait pris comme conseiller littéraire. – Voyez-vous, reprit l'éditeur, cette histoire me cause du souci. L'auteur a découvert des faits nouveaux prouvant plus ou moins l'innocence de Mrs. Winchurch. – Il hésita. – Avez-vous entendu parler de Kenneth Gandolph?

Des petits cris excités annonçant le début des discours empêchèrent Wexford de répondre. Lorsqu'il en eut enfin la possibilité, on avait porté un grand nombre de toasts, on avait lu plusieurs douzaines de télégrammes et les nouveaux mariés étaient partis se changer. Wexford fut heureux de ce répit, car ce qu'il savait – par ouï-dire – de Gandolph n'était pas particulièrement flatteur.

– N'écrit-il pas des romans policiers? répondit-il lorsque l'éditeur répéta sa question. Et, à l'occasion, sa version personnelle d'affaires criminelles authentiques?

Ireland eut un hochement de tête affirmatif.

– Son manuscrit est très bon, dit-il. Nous voudrions le sortir au printemps. Ce meurtre a beau dater de quatre-vingts ans, il continue à fasciner le public. Je pense que cette nouvelle version pourrait faire sensation.

– Florence Winchurch a été pendue, dit Wexford, mais sa culpabilité n'a jamais été formellement établie. Où Gandolph a-t-il été chercher ces nouveaux éléments?

– Puis-je vous envoyer un double du manuscrit? Vous trouverez tous ces renseignements dans la préface.

Wexford haussa les épaules en souriant.

– Si vous voulez. Mais vous savez, je ne pourrai guère repérer que les erreurs flagrantes... et encore! – Néanmoins, la proposition l'intéressait. Il poursuivit : – Florence s'était mariée à St-Peter, elle aussi, et sa réception avait eu lieu ici.

– Et elle avait passé une partie de son voyage de noces en Grèce.

– Nul doute que les coïncidences s'arrêtent là, dit Wexford tandis que Burden et Jenny rentraient dans la salle.

Burden avait enfilé un costume gris assez strict. Wexford ressentit pour lui un absurde élan de tendresse, en partie causé par le chapeau de Jenny. De toute évidence, Jenny n'aurait jamais d'autre occasion de mettre ce chapeau et elle le retirerait dès qu'ils seraient en voiture; mais Burden eût été très malheureux si sa femme n'avait pas porté de chapeau au moment de partir en voyage de noces. Il était ainsi fait. Il était d'ailleurs lui-même habillé de façon fort peu indiquée pour un séjour en Crête au mois de juin. Ils avaient tous les deux l'air très heureux et très emprunté.

Mrs. Ireland serra sa fille contre son cœur.

– Nous ne partons que deux semaines, maman, lui dit Jenny. Ce n'est qu'un au revoir.

Burden échangea une solennelle poignée de

mains avec son fils, venu de l'université pour le week-end, et déposa un baiser sur le front de sa fille. « Il a quand même dû lire des romans de chevalerie », songea Wexford en souriant à part lui.

– Bonne chance, Mike, dit-il.

La mariée lui prit la main et l'embrassa légèrement sur le coin de la bouche. Ravi, il inclina la tête en souriant, puis il se tourna vers les insupportables gamins de Sylvia et les regarda d'un air sévère, comme le patriarche qu'il était. Burden et Jenny montèrent en voiture : JUST MARRIED était inscrit au rouge à lèvres sur la lunette arrière et une chaussure était attachée au pare-chocs arrière.

Les fermoirs des sacs à main cliquetèrent, une nuée de mains s'agitèrent et une pluie de confettis s'abattit sur eux.

La maison, isolée, se dressait à une vingtaine de mètres en retrait de la route de Myringham. Au centre de la façade était clouée une plaque portant une date : 1896. Wexford avait toujours été convaincu que les architectes de l'époque victorienne avaient fait exprès de bâtir des maisons qui étaient non seulement laides et mal conçues mais également sinistres. Quoique bien entretenue et entourée d'un jardin très fleuri, *Les Tilleuls* gardait malgré tout son aspect sinistre, accentué par la brique verdâtre et les ardoises grises. En outre, Wexford aurait juré que les proportions des fenêtres à guillotine, par rapport aux murs, étaient mauvaises. A chaque angle se dressait une tourelle surmontée d'un toit cônique. Les tilleuls qui donnaient son nom à la propriété avaient été taillés tant de fois depuis leur plantation, à la fin du XIXᵉ siècle, qu'ils étaient maintenant rabougris et informes.

Du temps des Winchurch, la maison s'était appelée Paraleash House mais on l'avait débaptisée à la suite du meurtre d'Edward Winchurch. Malgré cela, elle était restée dix ans inhabitée. Puis, un an ou deux avant la première guerre, elle avait trouvé un acquéreur, lequel avait été tué sur le front. Elle était alors devenue successivement une maison de santé, l'annexe d'une université d'agronomie et une école privée. Son actuel propriétaire, un général de brigade à la retraite, l'occupait depuis une demi-douzaine d'années. Lorsque Wexford vit un homme sortir sur le perron avec deux Dobermans en laisse, il retourna à sa voiture et rentra chez lui.

Cela se passait le surlendemain du mariage de Burden. Comme tous les lundis soirs, Dora était à son cours de poterie; les divers objets – plus ou moins ébréchés et pas toujours très symétriques – qu'elle réalisait lors de ces séances hebdomadaires étaient disséminés dans le salon comme autant de feuilles d'automne. En fouillant les rayons de la bibliothèque à la recherche du *Procès de Florence Winchurch,* de G. Hallam Saul, Wexford faillit renverser l'une de ces inestimables œuvres d'art. Après avoir constaté – avec soulagement – qu'il n'y avait pas de casse, il entreprit de se rafraîchir la mémoire sur l'affaire Winchurch en se plongeant dans le livre que lui avait consacré miss Saul.

Florence May Anstruther avait dix-neuf ans lorsqu'elle épousa Edward Winchurch, lui-même âgé de quarante-sept ans. Blonde et jolie, d'allure distinguée, elle était la fille d'un apothicaire de Kingsmarkham. En 1895, cela ne lui conférait aucun rang dans la société, et peu de gens lui auraient donné des chances de faire un beau mariage. Ce fut

166

pourtant le cas. Winchurch était un avocat qui, à ce stade de sa vie, exerçait cette profession plus par goût que par nécessité. Son père, grand propriétaire terrien du Sussex, était mort trois ans auparavant en lui laissant deux cent mille livres – ce qui, à la fin du XIX<sup>e</sup> siècle, représentait une fortune colossale. Sans doute fut-il séduit par la jeunesse de Florence, par sa beauté et ses manières de grande dame. Elle avait reçu la meilleure éducation car son père pouvait se le permettre. Tout le monde s'accorda à penser que, de son côté, Florence était uniquement intéressée par l'argent de Winchurch.

Ils se marièrent en juin 1895 à la paroisse St Peter, à Kingsmarkham, et partirent pour un voyage de noces de six mois en Italie, en Grèce et dans les Alpes suisses. De retour chez eux, Winchurch loua le Prieuré de Sewingbury en attendant la fin des travaux de Paraleash House. Ils s'intallèrent dans leur nouvelle maison, somptueusement meublée, en mai 1896. Florence mena alors la vie d'une dame de la haute société victorienne, mariée à un homme riche et disposant d'une armée de domestiques. Une vie d'autant plus insipide que Florence n'avait pas d'enfants et ne devait jamais en avoir.

Une ou deux fois par semaine, Edward Winchurch se rendait de Kingsmarkham à Londres par le train. Florence, elle, dirigeait la maison, arrangeait des bouquets, rendait et recevait des visites, s'adonnait à la lecture et consacrait chaque jour de nombreuses heures à son visage, à sa coiffure et à sa toilette. Les gens du pays semblèrent considérer à l'époque que le ménage était aussi heureux qu'un autre, que Florence s'était admirablement débrouillée et que Winchurch n'avait pas fait un si mauvais marché.

A l'automne de 1896, un jeune docteur en médecine nommé Fenton acheta un cabinet à Kings-markham et vint s'y installer avec sa sœur céliba-taire. Agé de vingt-six ans, Frank Fenton était un homme grand et extrêmement beau, avec des che-veux d'un noir de jais, un regard romantique et un menton arrogant. Sa sœur, Ada, n'était ni jolie ni arrogante, une poliomyélite l'ayant affligée d'une paralysie partielle et d'une jambe tordue.

Ce fut ostensiblement pour se lier d'amitié avec Ada Fenton que Florence commença à rendre visite aux Fenton, à Queen Street. Florence professait une grande affection pour Ada, l'emmenait se promener dans sa voiture à cheval et lui proposait de s'en servir quand elle avait de longs trajets à parcourir. A partir de là, il fut facile à Florence de persuader Edward de prendre Frank Fenton comme médecin traitant. La jeune Mrs. Winchurch devint en quel-ques mois la maîtresse du médecin.

Il est probable qu'Ada ne s'aperçut de rien; dans les années 1890, une jeune fille pouvait être très innocente. Au procès, le cocher de Florence déclara qu'on l'envoyait plusieurs fois par semaine chez les Fenton pour emmener miss Fenton en promenade; de son côté, la gouvernante d'Ada déclara que, sitôt miss Fenton partie, Mrs. Winchurch arrivait à pied et que le docteur lui-même la faisait entrer discrètement par une porte-fenêtre. Un fait paraît établi : au cours de l'hiver 1898, Frank Fenton pratiqua un avortement sur Mrs. Winchurch. Dans les mois qui suivirent, ils se rencontrèrent seule-ment à des réceptions mondaines ou à l'occasion des visites que Florence rendait à Ada. Mais ils éprouvaient l'un pour l'autre une passion trop grande pour supporter d'être ainsi séparés; dès l'été suivant, ils recommencèrent à se rencontrer, chez Fenton en l'absence d'Ada, ou à Paraleash House les jours où Edward devait aller plaider à Londres.

En 1899, le divorce était une chose mal considérée mais nullement inenvisageable. Au procès, Frank Fenton déclara avoir demandé plusieurs fois à Mrs. Winchurch de divorcer; il aurait été prêt à l'épouser, malgré l'effet désastreux que cela aurait eu sur sa carrière. Mais elle avait refusé de recourir à cette solution, prétextant qu'elle ne se sentait pas le courage de supporter ce déshonneur.

En janvier 1900, Florence passa la journée à Londres, où elle acheta chez un charcutier deux boîtes de filets de harengs marinés au vin blanc. Les Winchurch prenaient très rarement des conserves; c'est pourquoi, quand Florence suggéra de préparer une recette appelée *Filets de harengs marinés à la Rosette,* – recette que lui avait donnée Ada Fenton –, la cuisinière, Mrs. Eliza Holmes, insista pour la préparer avec des poissons frais. Florence finit néanmoins par obtenir gain de cause : la cuisinière prépara le plat avec l'une des boîtes de conserves et le servit au dîner. Ce fut la bonne, Alice Evans, qui l'apporta à table. Chose curieuse, Florence n'en goûta pas; quant à Edward, il n'en prit qu'une petite quantité. Alice Evans remporta le reste à la cuisine, où elle le partagea avec Mrs. Holmes et Violet Stedman, la femme de chambre. Aucune d'elles ne s'en trouva indisposée. Cela se passait le 30 janvier 1900.

Cinq semaines plus tard, le 5 mars, Florence demanda à la cuisinière de recommencer la même recette – en utilisant la seconde boîte de conserve – car son mari l'avait beaucoup appréciée. Cette fois, Florence goûta du plat; mais au moment où Alice allait remporter le reste à la cuisine, elle lui conseilla de dire aux autres de ne pas en manger « car elle lui trouvait un goût bizarre, comme si les harengs n'étaient pas frais. » Mrs. Holmes et Alice s'abstinrent donc de toucher au plat, mais Violet Stedman en mangea en plus grande quantité que Florence ou Edward. Après le dîner, Florence, ainsi qu'elle en avait l'habitude, laissa Edward boire seul son porto. Quelques minutes plus tard, on entendit dans la salle à manger un cri étranglé suivi d'un grand fracas. En entrant dans la pièce, Florence, Alice Evans et Mrs. Holmes trouvèrent Edward Winchurch étendu sur le plancher, une chaise brisée à côté de lui et un verre de porto renversé sur la table. Lorque Florence s'approcha de lui, il fut pris de violentes convulsions. Il avait le dos arqué, les lèvres retroussées, et il s'agrippait désespérément à la chaise, en proie à une douleur atroce.

On envoya John Barstow, le cocher, quérir le Dr Fenton. Florence commençait à se plaindre de crampes d'estomac et elle semblait incapable de tenir debout. A son arrivée, Fenton fit transporter Edward et Florence à l'étage et demanda à Mrs. Holmes ce qu'ils avaient mangé. La cuisinière lui montra la boîte de harengs vide, et le médecin reconnut immédiatement la marque : c'était avec ces mêmes conserves que le patient d'un de ses confrères avait été atteint de botulisme, une forme très violente et généralement fatale d'intoxication alimentaire. Fenton en déduisit que le *bacillus botulinus* était à l'origine du mal des Winchurch. Le pouvoir de la suggestion étant ce qu'il est, Violet Stedman se sentit souffrante à son tour et s'évanouit.

Généralement, le botulisme provoque la paralysie, des difficultés respiratoires et des troubles de la vision. Florence se révéla être en partie paralysée et elle déclara souffrir de double vision. En revanche,

Edward présentait des symptômes différents : il continuait à être agité de spasmes et s'il manifestait, entre autres symptômes du botulisme, des difficultés à respirer, le processus avait été, dans son cas, anormalement rapide – même pour une intoxication alimentaire particulièrement violente. Mais comme Fenton n'avait encore jamais rencontré de cas de botulisme – maladie extrêmement rare –, il supposa que les symptômes variaient plus ou moins d'une personne à une autre. Il prescrivit des purgatifs et, ne connaissant pas de famille à Edward Winchurch, il envoya chercher le père de Florence, Thomas Anstruther.

Si Fenton était plus coupable qu'on ne le supposait, il commit une erreur en faisant venir Anstruther, car celui-ci insista pour avoir l'avis d'un autre médecin et se rendit en personne chez le confrère de Fenton qui avait récemment été témoin d'un cas de botulisme. C'était le Dr Waterfield, un homme populaire qui avait une grosse pratique à Stowerton. Après avoir examiné Edward Winchurch, dont le visage était déformé par la souffrance, le médecin diagnostiqua non pas une intoxication botulique mais un empoisonnement par la strychnine.

Edward mourut quelques minutes plus tard. Le Dr Waterfield déclara que physiquement, Florence et Violet Stedman étaient en parfaite santé : la première souffrait d'un simple choc nerveux, la seconde d'une indigestion provoquée par un repas trop copieux. On avertit la police et une enquête eut lieu, à l'issue de laquelle Florence fut arrêtée et inculpée du meurtre de son mari.

Son procès eut lieu à Londres, au Central Criminal Court. C'était alors une belle jeune femme de vingt-quatre ans, connue pour avoir eu une liaison avec le jeune et séduisant Dr Fenton. L'affaire eut un grand retentissement dans tout le pays. Fenton avait maintenant perdu sa clientèle et n'avait aucun espoir de s'en reconstituer une autre. Avant même l'ouverture du procès, son nom était devenu la cible des chansonniers et on chantait dans les music-halls, sur des vers de mirliton, l'histoire de Frank et de Florence. Mais, au lieu de l'inciter à faire front commun avec Florence, cela sembla le décider encore davantage à se désolidariser d'elle. Il fut cité comme principal témoin à charge et ce fut son témoignage qui envoya Florence au gibet.

Fenton avoua avoir été l'amant de Florence mais déclara avoir voulu mettre un terme à cette situation, en la poussant à divorcer pour se remarier avec lui. Au début de janvier 1900, Florence était venue rendre visite à sa sœur Ada et il les avait trouvées en train de feuilleter un livre de cuisine. L'une des recettes mentionnées étant à base de harengs marinés au vin blanc, cela l'avait amené à leur parler d'un cas de botulisme dont avait été victime un patient du Dr Waterfield après avoir mangé des harengs en conserve. Il avait même mentionné la marque, en recommandant à sa sœur de ne pas en acheter. Or, lorsqu'on l'avait appelé au chevet d'Edward Winchurch agonisant, quelque sept semaines plus tard, la cuisinière lui avait montré une boîte de conserve vide de cette même marque. Fenton déclara qu'à son avis, Mrs Winchurch n'avait pas été malade du tout et avait simplement simulé des maux d'estomac. Le juge lui fit observer qu'il n'avait pas à donner son opinion, mais cet avertissement vint trop tard. La conviction du jury était déjà faite.

Lorsqu'on lui demanda s'il savait qu'on employait la strychnine en petites quantités à des fins thérapeutiques, Fenton répondit par l'affirmative mais ajouta qu'il n'en avait pas dans son dispensaire. D'ailleurs, son dispensaire était toujours fermé à clé, ainsi que les placards dans lesquels il rangeait ses médicaments; il aurait donc été impossible à Florence d'y prélever quoi que ce fût lors d'une de ses visites. Ada Fenton ne fut pas citée comme témoin : elle souffrait de ce que son médecin traitant, le Dr Waterfield, appelait « une fièvre cérébrale ».

La théorie de l'accusation était celle-ci : Florence Winchurch avait tenté une première fois d'empoisonner son mari avec des harengs avariés – ou qu'elle croyait tels – afin d'hériter de sa fortune et d'épouser le Dr Fenton. Cette tentative ayant échoué, elle s'était arrangée pour faire resservir le même plat – mais cette fois, elle avait mis de la strychnine dans la bouteille de porto. (Il fut établi qu'elle s'était procuré le poison dans l'officine de son père, à son insu.) Lorsque son mari avait été pris de malaises, elle avait elle-même simulé les symptômes de botulisme, dans l'espoir que l'on confondrait les convulsions caractéristiques de l'empoisonnement par la strychnine avec la paralysie occasionnée par le bacille botulique.

La défense tenta de rejeter la responsabilité sur Frank Fenton, ou au moins de démontrer la complicité du médecin, mais ce fut en vain. Après quarante minutes de délibération, les jurés rendirent un verdict de culpabilité et le juge prononça une sentence de mort. Florence Winchurch fut pendue exactement vingt-trois jours plus tard, ces événements se déroulant quelque vingt années avant l'instauration de la cour d'appel.

Après l'exécution, Frank et Ada Fenton émigrèrent aux Etats-Unis et s'installèrent en Nouvelle Angleterre. Mais la réputation de Fenton l'avait précédé : jamais plus il ne put pratiquer la médecine. Il travailla comme représentant itinérant d'une société de produits pharmaceutiques jusqu'à sa mort, en 1932, et demeura célibataire toute sa vie. Ada, elle, se maria. Un certain Ephraim Hurst tomba amoureux d'elle, malgré son infirmité, et l'épousa en juillet 1902. Ada Hurst devait mourir en couches dans le courant du printemps 1903.

Entre temps, Paraleash House avait été rebaptisée *Les Tilleuls* et on avait planté des arbres pour dérober sa façade sinistre mais fascinante à la curiosité des passants.

Le colis de chez Carlyon Brent arriva le lendemain matin, avec un mot d'accompagnement très courtois d'Amyas Ireland. C'était la première fois que Wexford voyait un livre à ce stade embryonnaire. Le manuscrit, d'environ cent mille mots, était relié en rouge; sur la première page étaient inscrits le titre provisoire et le nom de l'auteur : *Empoisonnement à Paraleash. Pour le réexamen de l'Affaire Winchurch,* par Kenneth Gandolph.

— Te rappelles-tu ce scandale à propos de Gandolph, il y a quatre ans? demanda Wexford à Dora, assise en face de lui à la table du petit déjeuner.

— Quelqu'un lui avait avoué un meurtre, si je me souviens bien?

— On n'aura jamais su la vérité. A l'époque où il était visiteur de prisons, il eut plusieurs entretiens avec Paxton, le braqueur de banques, à Wormwood Scrubs. Lorsque celui-ci mourut d'un cancer, quelques mois plus tard, Gandolph publia un article selon lequel Paxton, au cours de leurs entretiens, lui aurait avoué être l'auteur du meurtre de Conyngford en 1962. La veuve de Paxton protesta, il y eut un échange de lettres d'injures, Mrs Paxton réclamant que les lois contre la diffamation protègent aussi les morts, Gandolph faisant valoir que la vérité était plus forte que tout. Ce fut le Detective Superintendent Warren, de Scotland Yard – maintenant à la retraite – qui mit fin à la polémique en livrant une déclaration à la presse. Il expliqua que Paxton ne pouvait pas avoir tué James Conyngford à Brighton, pour la bonne raison que le jour du meurtre, il était à Londres sous la surveillance de deux policiers qui ne l'avaient pas perdu de vue un instant.

– Pourquoi Gandolph aurait-il inventé une telle histoire ?

– Il ne l'a pas inventée. Si ça se trouve, Paxton lui a raconté un tas de balivernes pour s'amuser un peu à ses dépens. Chacun sait que Gandolph aime à se présenter comme un spécialiste des affaires criminelles non résolues. Voici plusieurs années, il a proposé une solution tout à fait plausible pour un crime mystérieux commis en Ecosse; ce succès lui est peut-être monté à la tête. A l'époque, ses éditeurs étaient Marshall, Groves et Folliott. Je me demande s'ils lui ont refusé son dernier manuscrit à cause de l'histoire Paxton ou pour d'autres raisons...

– En tout cas, les collaborateurs de Mr. Ireland l'ont accepté, eux.

– Hmm-hmm. Mais sans grand enthousiasme. Ils ont peur. Si Ireland m'a envoyé ce manuscrit, ce n'est pas, comme il le prétend, pour que je puisse vérifier les détails techniques. Je ne connais rien des méthodes de la police en 1900! En réalité, il me l'a envoyé dans l'espoir que je saurai déceler l'escroquerie s'il y en a une.

Sa journée de travail ne lui laissa guère le loisir de se plonger dans *Empoisonnement à Paraleash;*

mais lorsqu'il rentra ce soir-là, il prit le livre et lut la longue préface de Gandolph.

L'auteur expliquait que, en sa qualité de criminologiste, il s'était toujours intéressé à l'affaire Winchurch et avait nourri – comme beaucoup d'autres – de sérieux doutes quant à la culpabilité de Florence Winchurch. Or, deux ans plus tôt, alors qu'il séjournait à Boston chez des amis, ceux-ci lui avaient parlé d'une de leurs relations, qui se trouvait être la nièce d'un des personnages de l'affaire. Il avait aussitôt demandé à lui être présenté. La personne en question était la fille d'Ada Hurst, Lina Hurst, une vieille demoiselle de soixante-quatorze ans atteinte d'une maladie incurable.

Miss Hurst ne manifesta aucun intérêt particulier pour les événements de mars 1900. Elle avait été élevée par son père et sa seconde femme et avait à peine connu son oncle. Tous les biens de sa mère lui étaient revenus, y compris le journal intime qu'avait tenu Ada Fenton les trois années qui avaient précédé la mort d'Edward Winchurch. Lina Hurst déclara à Gandolph qu'elle avait conservé ce journal pour des raisons sentimentales mais que si cela l'intéressait, elle prendrait les dispositions nécessaires pour qu'il lui parvienne après sa mort.

Quelques semaines plus tard, Lina Hurst mourut et son demi-frère, qui était son exécuteur testamentaire, envoya le journal à Gandolph. Celui-ci fut extrêmement excité à sa lecture car, de son point de vue, certains passages semblaient incriminer Frank Fenton et disculper Florence Winchurch. Wexford revint quelques pages en arrière et lut la dédicace de l'auteur : *A la mémoire de miss Lina Hurst, de Cambridge, Massachusetts, sans l'aide de laquelle ce réexamen eût été impossible.*

Wexford n'eut pas le temps d'aller plus loin ce soir-là mais il reprit sa lecture le lendemain. Le journal d'Ada Hurst se présentait sous la forme d'un agenda couvrant cinq années. La date était indiquée en haut de chaque page – 1$^{er}$ avril, par exemple – et, dessous, dans les cinq espaces correspondants, figurait le chiffre 18..., numéro de l'année à compléter. Il y avait la place d'écrire une cinquantaine de mots par espace, pas davantage. A la page du I$^{er}$ janvier, dans le troisième espace, le 8 du numéro de l'année avait été barré et remplacé par un 9, et cela jusqu'au 6 mars. Ensuite, il n'y avait plus rien jusqu'en décembre 1900 – ce qui correspondait à la période où les Fenton étaient à Boston.

Wexford parcourut les premiers chapitres d'*Empoisonnement à Paraleash*. Le récit de Gandolph était, pour l'essentiel, le même que celui de Hallam Saul; c'était seulement à partir du chapitre cinq, consacré aux semaines précédant le meurtre, que l'auteur commençait à s'intéresser plus particulièrement à Frank Fenton. Selon lui, le médecin avait des vues sur Mrs. Winchurch à cause de la fortune qu'elle hériterait à la mort de son mari. Loin d'encourager Florence à divorcer, il l'engagea à ne jamais montrer à son mari qu'elle lui préférait un autre homme. Un divorce aurait laissé Florence sans un sou, sans abri, et aurait ruiné la carrière de Fenton. Celui-ci savait que le seul moyen pour lui d'avoir Florence et son argent – tout en préservant sa carrière – était de tuer Winchurch en faisant passer sa mort pour naturelle.

Comme le soulignait Gandolph, rien ne prouvait que Fenton eût réellement mis en garde Florence, à cause des risques de botulisme, contre cette marque de harengs marinés. En vérité, il n'avait jamais cru sérieusement que ces boîtes de conserve pussent intoxiquer Winchurch; mais il était essentiel pour la réussite de son plan que Winchurch mangeât de ces harengs. Invité à dîner avec sa sœur à Paraleash House, la veille de la mort de Winchurch, il s'était arrangé pour amener la conversation sur les recettes de poisson. Dès lors, il n'avait eu aucune difficulté à faire admettre à Winchurch qu'il avait beaucoup apprécié les *Filets de harengs marinés à la Rosette,* et il avait persuadé Florence de resservir ce plat le lendemain. Puis, après le dîner, il avait introduit la strychnine dans la bouteille de porto.

Il n'avait été aucunement surpris d'être appelé le lendemain soir au chevet de Winchurch, dont il était le seul à connaître exactement la nature des symptômes. Mais l'arrivée du Dr Waterfield avait été un facteur imprévu; une fois que le médecin eut diagnostiqué un empoisonnement à la strychnine, il ne restait plus à Fenton qu'à rejeter la responsabilité sur sa maîtresse. Selon Gandolph, si Fenton avait suggéré que la strychnine provenait de l'officine d'Anstruther, c'était pour se venger du père de Florence, qui avait bouleversé ses plans en appelant le Dr Waterfield.

Pour étayer sa version, Gandolph se fondait sur certaines notes du journal d'Ada Hurst. Wexford les lut attentivement, en prenant tout son temps.

A la date du 27 février 1900, Ada avait écrit, remplissant entièrement le petit espace : *Très froid. De nouveau mes douleurs à la jambe. FW a envoyé John avec le cabriolet pour me conduire à Pomfret. Compton dit qu'il y a des rats dans le grenier et dans les écuries. F dit qu'il faut s'en débarrasser car les rats transmettent la leptospirose.* 28 février : *Visite à la vieille Mrs. Padget dans le cabriolet de FW. A mon retour, FW prenait le thé avec F.*

*J'espère qu'ils ne font rien de mal. Oserai-je en parler à F?* 29 février : *F a tué vingt rats avec de la stychnine de son dispensaire. Quel soulagement!* I<sup>er</sup> mars : *La pauvre Mrs. Padget s'est éteinte cette nuit. Une délivrance... Compton s'est encore plaint des rats. Ce soir, temps plus doux mais il pleut.* Il n'y avait rien d'inscrit à la date du 2 mars. 3 mars : *Annie va nous quitter pour se marier. Je la regretterai. Aujourd'hui, je n'ai pas pris le cabriolet pour ne pas trop laisser FW seule avec F. Coucher tôt à cause jambe douloureuse.* 4 mars : *Mon anniversaire. 26 ans et vieille fille, à jamais sans doute. FW m'a apporté ravissant châle indien. Elle est très gentille. F et moi sommes invités à dîner demain soir.* L'espace réservé au 5 mars était vierge. Les notes consignées le 6 mars étaient les dernières avant une interruption de neuf mois : *Dîner hier soir à Paraleash House. Six invités en plus de nous et des W. F avait oublié son étui à cigares dans la salle à manger; il y est retourné après m'avoir ramenée. Je prie le ciel qu'il n'y ait rien entre eux.*

De toute évidence, Gandolph fondait sa théorie sur les notes du 29 février et du 6 mars. En déclarant devant le tribunal qu'il n'avait pas de strychnine dans son dispensaire, Fenton avait menti. D'autre part, il avait eu l'occasion d'introduire la strychnine dans la bouteille de porto quand il était retourné chercher son étui à cigares à Paraleash House.

Le lendemain, Wexford relut avec un soin minutieux la partie du livre consacrée au journal. Mais, à moins que Gandolph n'eût tout bonnement inventé ce journal et les deux notices révélatrices – ce qu'il n'aurait quand même pas osé faire –, on ne pouvait que se rallier à ses conclusions. Florence était innocente et Edward Winchurch avait été assassiné par Frank Fenton. N'empêche, Wexford aurait bien voulu que Burden fût là pour discuter avec lui de cette affaire, comme ils le faisaient toujours. Avec ce vieux Mike pour critiquer ses arguments, les choses se seraient certainement clarifiées.

Le lendemain matin, il reçut justement des nouvelles de Burden, sous la forme d'une carte postale de Nikolaios : un escarpement rocheux et des pins sur fond de mer Egée. Attendri, Wexford fit remarquer à Dora qu'il n'y avait que Burden pour penser à envoyer des cartes postales pendant son voyage de noces. Il trouva également dans son courrier un paquet expédié par Carlyon Brent, contenant une sélection des dernières parutions de la maison et un petit mot d'Amyas Ireland : *Je serai à Kingsmarkham avec mes parents ce week-end. Sera-t-il possible de nous voir? AI.* Wexford se demanda s'il aurait jamais le temps de lire tous ces livres mais il prit plaisir à les regarder, à admirer leurs jaquettes brillantes. A dix heures, il téléphona à Amyas Ireland pour le remercier de son envoi et lui annoncer qu'il avait lu *Empoisonnement à Paraleash.*

— Pourrions-nous en discuter? demanda Ireland.

— Certainement. Je serai chez moi pendant tout le week-end.

— Alors je vous invite à dîner au restaurant samedi avec Mrs Wexford.

Mais Dora refusa, expliquant qu'elle serait une gêne pour eux, qu'ils discuteraient bien mieux sans elle et qu'elle profiterait de sa soirée pour essayer une nouvelle recette à la maison. Wexford alla donc seul retrouver Ireland au bar de *Chez Olive* et accepta un verre de vin d'Alsace.

– Maintenant, dit-il, mettons bien les choses au point. Si vous m'avez demandé de lire ce manuscrit, ce n'était pas pour que je vérifie le détail des méthodes policières de l'époque, mais parce que vous craigniez une entourloupette de la part de Gandolph. Exact?

Ireland parut embarrassé. Il leva les yeux au plafond, puis regarda Wexford avec une affreuse grimace qui lui plissa le nez et les lèvres.

– Eh bien... bredouilla-t-il. Ma foi, si vous présentez les choses ainsi... oui.

– Il n'y a peut-être jamais eu d'entourloupette. Paxton n'a pas pu assassiner James Conyngford, c'est un fait, mais il a très bien pu raconter à Gandolph qu'il était le meurtrier... D'accord, les gens qui font à Gandolph des révélations sensationnelles meurent à point nommé, peu de temps après. Il les choisit bien : d'abord Paxton, ensuite Lina Hurst... Je suppose que vous avez *vu* ce journal?

– Oh! oui. Il y aura même parmi les illustrations les deux pages les plus significatives.

– Aucun risque de faux?

Ireland eut une moue désabusée.

– Ada Hurst avait une écriture toute ronde, sans fiorirures, et par-là même facile à imiter. Mais je ne peux quand même pas soumettre ce journal à des experts graphologues! Je ne suis pas un policier. Je ne suis qu'un malheureux éditeur, prêt à publier cette nouvelle version de l'affaire Winchurch si elle est correcte – mais à la rejeter comme la peste si elle ne l'est pas.

– Je pense qu'elle est correcte. – Wexford sourit en voyant s'éclairer le visage d'Ireland. – Ada Hurst avait-elle l'habitude de laisser des espaces blancs, comme elle l'a fait pour les 2 et 5 mars?

Ireland inclina la tête.

– Oui. J'en ai relevé à peu près une demi-douzaine par mois. – Un serveur s'approcha de leur table avec deux menus. – Bouillabaisse, pâté en croûte et médaillon de veau avec des pommes de terre et des petits pois, commanda l'éditeur.

Astreint à un régime austère, Wexford se contenta d'un consommé et de jambon de Parme. Lorsque le serveur se fut éloigné, il dit avec un sourire en coin :

– Dommage qu'ils n'aient pas de *Filets de harengs marinés à la Rosette,* cela nous aurait mis dans l'ambiance. – Il demeura un instant silencieux à savourer son verre de vin. – Avez-vous vérifié si 1900 était bien une année bissextile?

– Toutes les années séculaires le sont.

– Oui, naturellement, dit Wexford après avoir réfléchi un instant. Toutes les années divisibles par quatre sont des années bissextiles.

– Je suis rudement soulagé que le manuscrit vous donne satisfaction.

– Je n'irais pas jusqu'à dire cela.

Ils entrèrent dans la salle de restaurant et s'installèrent dans un coin tranquille. Un serveur leur apporta une bouteille de Château de Portets 1973 et une corbeille remplie de toasts, de croissants, de petites brioches, de minuscules tranches de pain et de divers amuse-gueules. Wexford regarda la corbeille d'un air gourmand mais secoua stoïquement la tête. Ireland prit deux croissants.

– Qu'entendez-vous par là? demanda-t-il.

– Il y a quand même quelque chose qui me chiffonne... Le 29 février, Ada Hurst écrit que son frère a tué vingt rats avec de la strychnine; or, le Iᵉʳ mars, le nommé Compton – que je suppose être le jardinier – se plaint encore des rats. Fenton ne lui avait-il pas dit qu'il allait s'en occuper? Ne l'avait-il

pas mis au courant des résultats de l'empoisonnement? Ou bien devons-nous considérer que les
vingt rats tués ne représentaient qu'un infime pour-
centage de l'ensemble?

– Exact, c'est bizarre. Quoi d'autre?

– Le 6 mars, elle écrit que Fenton est retourné
chercher son étui à cigares. C'est là un détail sans
intérêt, et elle ne disposait pas de beaucoup d'espace. Elle ne mentionne le nom d'aucun des autres
invités, mais elle note que son frère a oublié son
étui à cigares dans la salle à manger de Paraleash
House et a dû retourner le chercher. Pourquoi?

– Parce qu'elle n'aimait pas savoir Frank seul
avec Florence.

– Vous oubliez que Winchurch était là.

Ils discutèrent du manuscrit pendant tout le
repas, puis l'étudièrent page par page en prenant
leur café. Dora avait été avisée de ne pas venir...
Finalement, ils conclurent que les éléments nouveaux fournis par Gandolph étaient corrects et que
Carlyon Brent pouvait publier le manuscrit en
toute sécurité. De retour chez lui, Wexford trouva
Dora plongée dans le *Guide Universel des Etoiles et
des Calendriers,* l'un des livres que lui avait fait
envoyer Amyas Ireland.

– Reg, savais-tu que pour les Grecs l'année commençait le jour de la mi-été? Et que les calendriers
juifs et chinois comportent tantôt douze mois et
tantôt treize?

– Franchement, non.

– Le calendrier grégorien nous évite cet inconvénient, vois-tu. Nous corrigeons l'erreur en faisant
tous les quatre ans une année bissextile. Tu devrais
lire ce livre, il est absolument passionnant.

Mais Wexford ne trouva pas le temps de se

plonger dedans avant le retour de Burden, le lundi suivant. L'inspecteur était idéalement bronzé mais son nez avait pelé.

— Bien amusé? demanda Wexford en un réflexe de politesse.

— Quelle question à poser à un homme qui revient de voyage de noces! dit Burden. Mais oui, je me suis bien amusé. Et vous, à quoi avez-vous passé votre temps?

— A lire un manuscrit pour votre beau-frère.

— Ah! Je vois de quoi il s'agit. Il m'en avait parlé, mais il sait que je ne peux pas sentir Gandolph. Un menteur de la pire espèce, celui-là! Je ne vois pas la satisfaction qu'il peut éprouver à broder sur des affaires célèbres des variations qu'il sait pertinemment fausses. Son article sur Paxton était un tissu de mensonges, et je ne doute pas un instant que sa nouvelle version de l'affaire Winchurch soit truquée. La vérité lui importe peu; tout ce qui l'intéresse, c'est de passer pour un grand criminologiste, l'homme qui ridiculise la police!

— Allons, Mike, vous exagérez un peu. J'ai dit à Ireland qu'à mon avis il pouvait publier le manuscrit sans risque.

Burden eut une grimace réprobatrice.

— Je ne peux pas juger, je ne l'ai pas lu... Mais pour ce qui est de Paxton, mon opinion est claire : Paxton n'a jamais avoué quoi que ce soit à Gandolph.

— Vous ne pouvez pas en être certain.

Burden s'assit et donna un coup de poing sur le bureau.

— Si, justement! Je connaissais bien Paxton.

— J'ignorais cela.

— C'était il y a pas mal d'années, à Eastbourne, à l'époque où Paxton faisait partie du gang Garfield.

Là-bas, tous les policiers savaient que ce n'était même pas la peine d'essayer de faire parler Paxton. Il ne parlait jamais. Non seulement il ne donnait jamais de tuyaux, mais il ne répondait même pas quand on lui adressait la parole. Chaque fois que nous tentions de l'interroger, il s'enfermait dans un mutisme total. Un de ses complices m'a expliqué un jour qu'il se faisait un point d'honneur de ne pas parler aux policiers, aux avocats, aux assistantes sociales – bref, à aucun des représentants de l'ordre établi. Et il tenait parole! En revanche, il parlait sans difficulté à sa femme, à ses gosses et à ses copains. Tenez, je me rappelle une fois où il était dans le box des accusés aux assises de Lewes : à un moment donné, le juge s'est adressé à lui; il n'a pas répondu, naturellement, et le juge l'a fait expulser pour outrage à magistrat. Alors ne venez pas me raconter que Paxton s'est confessé à Kenneth Gandolph. Pas Paxton!

Cette tirade eut pour effet de raviver les soupçons de Wexford. Il avait confiance en Burden et prenait toujours ses avis en considération. Il commença à regretter de n'avoir pas conseillé à Ireland de faire tester l'encre utilisée pour les inscriptions du 29 février et du 6 mars, ou de faire examiner l'écriture par des graphologues. Mais si l'écriture d'Ada Hurst ne présentait vraiment aucune caractéristique spéciale, à quoi auraient servi les graphologues? A rien. D'autre part, si Ireland demandait à faire vérifier l'authenticité du document, Gandolph irait sans doute proposer ce manuscrit à un autre éditeur. Brusquement, Wexford eut la certitude que Gandolph avait falsifié le journal. Rien qu'en ajoutant quelques phrases, une soixantaine de mots au total, il s'était arrangé pour remettre en cause, avec beaucoup de subtilité, le dénouement de l'affaire

Winchurch et désigner comme coupable l'amant de Florence.

Wexford examina de nouveau les deux passages litigieux du journal, qu'il avait fait photocopier. 29 février : *F a tué vingt rats avec de la strychnine de son dispensaire. Quel soulagement!* 6 mars : *Dîner hier soir à Paraleash House. Six invités en plus de nous et des W. F avait oublié son étui à cigares dans la salle à manger; il y est retourné après m'avoir ramenée. Je prie le ciel qu'il n'y ait rien entre eux.* Il n'y avait aucun anachronisme (les hommes utilisaient certainement des étuis à cigares en 1900), pas de hiatus avec le style habituel d'Ada. Le mot « vingt » était écrit en lettres et non en chiffres. La note du 6 mars se rapportait non au jour même mais à la veille, le 5. Cela avait-il une signification particulière? Wexford ne le pensait pas, mais il passa le plus clair de la journée à réfléchir à la question.

Ce soir-là, alors qu'il lisait un des livres envoyés par Carlyon Brent, le téléphone sonna. C'était Jenny Ireland qui les invitait à dîner, Dora et lui, le samedi suivant, avec ses parents et son frère.

– Dora est à son cours de poterie, répondit Wexford, mais nous acceptons avec plaisir. Et votre séjour en Grèce? Avez-vous été contente?

– C'est gentil, vous êtes la première personne à me poser la question, dit Jenny. Oui, merci, ç'a été merveilleux.

Wexford se réjouissait sincèrement de cette invitation à dîner, mais il se sentait un peu gêné à l'idée de revoir Amyas Ireland. Il craignait que, une fois le livre publié, quelqu'un ne découvrît une erreur flagrante qui lui aurait échappé. Lorsqu'il reverrait Ireland, il lui dirait de renoncer, de ne pas prendre le risque de publier le manuscrit. Mais comment donner un tel conseil sans la moindre raison valable, sans autre motif qu'un vague pressentiment? Non, décidément, il n'y avait rien à faire. Avec un soupir, il termina son chapitre et se plongea dans un autre livre, les mémoires romancés d'un fermier.

Wexford devait souvent déclarer par la suite qu'il avait davantage lu durant cette semaine-là qu'il ne l'avait fait en plusieurs années. Peut-être fut-ce le besoin d'échapper à de sombres pensées; en tout cas, il passa une semaine parfaitement détendue, rentrant chez lui à six heures tous les soirs pour s'adonner à la lecture. Le vendredi soir, de tous les ouvrages que lui avait envoyés Amyas Ireland, il ne lui restait plus à lire que le *Guide Universel des Etoiles et des Calendriers.*

C'était un grand dîner. Etaient présents Mr. et Mrs Ireland, leurs fils Amyas, Pat, la fille de Burden, Grace et son mari – et, bien sûr, les Burden. Jenny était rayonnante de bonheur et très bronzée. Elle embrassa les Wexford sur les deux joues et leur servit à boire dans les verres qu'ils leur avaient offert en cadeau de mariage.

En définitive, Wexford ne fut pas du tout embarrassé en présence d'Amyas Ireland, pour la bonne raison qu'il avait trouvé la solution peu avant de partir chez les Burden. Et il savait qu'il serait incapable de tenir sa langue pendant tout le dîner, sinon jusqu'au lendemain matin – ou, pire encore, le surlendemain. Il demanda à son hôtesse la permission de s'entretenir cinq minutes seul à seul avec son frère.

– Je vous en prie, répondit-elle en riant. J'imagine que vous avez trouvé une idée sensationnelle pour un roman policier et que vous allez signer un contrat avec Ammy. Mais je vais vous envoyer à la cuisine, je ne sais où vous mettre ailleurs. Et je te prierai de ne pas manger tous les gâteaux! lança-t-elle à son frère en le menaçant du doigt.

– Je n'ai pas pu attendre, dit Wexford à Ireland lorsqu'ils se retrouvèrent à la cuisine. J'ai trouvé la solution tout à l'heure, juste avant de partir pour venir ici.

– Vous voulez parler de l'affaire Winchurch?

– Il n'est pas trop tard, j'espère? dit Wexford avec inquiétude.

– Seigneur, non! Nous n'avions pas prévu d'envoyer le manuscrit à l'imprimeur avant l'automne. – Ireland, qui avait paru sur le point de désobéir à sa sœur et de prendre un macaron dans une coupe en argent, perdit brusquement tout appétit. – C'est sérieux?

Wexford grimaça un sourire.

– Vous devriez prendre l'habitude de lire les livres que vous publiez, vous savez. C'est ce que j'ai fait : en attendant que ma femme ait fini de se préparer, j'ai lu un des ouvrages que vous m'aviez envoyés – et c'est ainsi que j'ai trouvé la clé de l'énigme. Vous ne pourrez pas publier *Empoisonnement à Paraleash.* – Il cessa de sourire et prit un air féroce. – Kenneth Gandolph est un faussaire et un menteur, et je ne saurais trop vous conseiller de ne jamais signer un contrat avec lui.

Les yeux d'Ireland s'étrécirent.

– Mieux vaut encore le savoir maintenant. Qu'avez-vous découvert exactement?

Wexford sortit de la poche intérieure de sa veste la photocopie des deux pages du journal.

– Je ne peux pas prouver que la dernière note, celle du 6 mars – *F a oublié son étui à cigares,* etc. – est un faux, mais je le pense. Ce que je puis

188

affirmer, en revanche, c'est que celle du 29 février en est un.

– Celle où il est question de strychnine?

– *F a tué vingt rats avec de la strychnine de son dispensaire. Quel soulagement!*

– Comment savez-vous que c'est un faux?

– Parce que le 29 février 1900 n'a jamais existé, répondit Wexford. 1900 n'était pas une année bissextile.

– Mais si, voyons! Nous en avons déjà parlé. – Ireland paraissait à la fois agacé et soulagé. – Toutes les années séculaires sont divisibles par quatre, donc...

– 1900 n'était pas une année bissextile, répéta fermement Wexford. Comme je vous l'ai dit, j'ai trouvé la réponse dans un de vos livres, le *Guide Universel des Etoiles et des Calendriers*. Il y a beaucoup de renseignements utiles dans ce livre... On y explique, entre autres choses, comment le pape Grégoire composa un nouveau calendrier civil pour corriger les erreurs du calendrier julien. Il décida notamment qu'il y aurait une année bissextile tous les quatre ans – sauf dans certains cas...

– Je n'y crois pas! l'interrompit Ireland.

Mais le ton de sa voix démentait ses paroles. Avec un haussement d'épaules, Wexford reprit :

– Il décréta que les années séculaires ne seraient pas des années bissextiles, sauf si elles étaient divisibles non par quatre mais par quatre cents. Ainsi, 1600 aurait été une année bissextile si le calendrier julien avait été adopté à l'époque, et l'an 2000 sera une année bissextile. Mais 1800 n'en était pas une, et 1900 non plus. Si Ada Hurst a laissé en blanc l'espace correspondant au 29 février 1900, c'est pour l'excellente raison que le lendemain du 28 février était le I$^{er}$ mars. Malheureusement pour lui, Gandolph – comme vous, moi et bien d'autres – n'en savait rien; s'il avait ajouté son faux sur la strychnine dans l'espace réservé au 2 mars, la supercherie n'aurait peut-être jamais été découverte.

Ireland secoua la tête, partagé entre l'admiration et la déception.

– Je vous dois une fière chandelle. Sans vous, nous aurions été dans un drôle de pétrin.

– Je suis heureux que Florence n'ait pas été pendue par erreur, dit Wexford tandis qu'ils allaient rejoindre les autres. Son mariage n'a pas commencé dans le bonheur, mais c'est bien par sa faute s'il s'est terminé dans la crainte.

# DERNIERS VOLUMES
## PARUS DANS LA COLLECTION
### LE MASQUE

**ENVOI DU CATALOGUE COMPLET SUR DEMANDE**

IMPRIMÉ EN FRANCE PAR BRODARD ET TAUPIN
7, bd Romain-Rolland - Montrouge - Usine de La Flèche.
ISBN original : 0 - 09 - 13963 - 0 (Hutchinson Publishing Group LTD).

ISBN : 2 - 7024 - 1304 - 8          H 52/1710/4